仕事を減らして10倍儲かる

即効！

引き算

マーケティング

中谷佳正

JN100063

技術評論社

はじめに

▌経営者はとにかく忙しい！

「就職して●年。一人前の実力はもうついたし、自分で道を切り開いてみたい！」
「自分の実力が、どこまで通用するのかチャレンジしてみたい！」

　……そう思っていざ独立・起業をしてみたら、予想外に多い「自分の強み以外の
タスク」に忙殺される。今この本を開いているあなたは、そんな状況の真っ最中で
はありませんか？

　僕自身も経営者という立場になった時、得意なことだけに集中できない状況に
かなり戸惑いました。

・とにかく家族を食べさせるために売上を安定させるのに必死
・人を雇ったら、社員の生活を背負うのに必死
・時代に取り残されないようにするために必死

　こんなプレッシャーを毎日のように感じ、なるべく考えないようにするためにガ
ムシャラに体を動かしていました。きっとこの書籍を手に取っているあなたにも共
感してもらえる点があるのではないかと思います。

　そんな忙しいあなたのために、本書を書きました。本書をひと言で紹介すると、

　「あなたのやることを減らしながら、収益を上げる方法を詰め込んだマーケティ
ング本」

　です。

そうです。やることや覚えることを"増やす"のではなく"減らしながら"収益を上げることをポイントにしています。だからこの本には、新しく設備を導入したりスキルを習得して成功する方法は1ページも書いてありません。

　もしあなたがこれ以上、時間やコストを増やさずに収益を上げる方法を知りたいと思っているなら、この本はその悪循環を抜け出すきっかけになれると思います。

お金の事を考えると不安で眠れない日々

　私、中谷はマーケティング先進国アメリカのノウハウを日本人向けにわかりやすく伝える専門家として15年活動してきました。上場企業から個人事業主まで幅広い層に、それぞれにあったマーケティングを導入することを得意としています。

　ギュッと要約して紹介すると

・創業して13年、365日体制で働いても赤字続きの会社がたった数ヶ月で借金を返済し、黒字経営に
・顧客単価が7万円だった衣料会社が、次の月から単価20万円まで跳ね上がる
・地方のパーソナルトレーニング会社が、数ヶ月で売上が4倍に
・独立を悩んでいた弁護士さんが、独立後すぐに仕事の依頼が殺到
・売上が伸び悩んでいた一着8,000円のメンズ下着メーカーが、1年で1日700枚の売上を作る
・田舎のコモディティ化された食品卸の会社が、次の月から新規の売上が4倍に
・売上が低迷していた年商12億円の通販会社の売上を、1年間で1億7千万円伸ばす

　でもお伝えしたいのはこの部分だけではありません。

▌今でこそ、こんな実績がありますが……

　起業当初の僕は、まさに忙しいのに売上が上がらない前述した経営者そのもの
でした。若さと勢いで28歳の時にWeb制作会社として独立。しかし、勢いはすぐに
失速。売上がぜんぜん上がらずにキャッシュフローを考えると不安で夜も眠れな
い日々。

　かといって解決策を見つけることもできなかったので、結果として**売上を確保す
るために350日体制で働く**という体力勝負に出ていました。そして30歳に差し掛
かったある日、公園のベンチで100円のパンを噛りながらふと考えました。

　「今はまだこんな無茶なやり方ができているけど、10年後、同じような体力と精
神力があるのかな……？」

　無理だな。じゃあ、どうすればいいかな……？　よし！　無理ができる今のうち
に一生分稼げばいいよな!?　うん！　間違いない!!　と出した結論が

　今以上にもっと働いて売上を上げまくってやる！

　「なんでやねん！」って当時の自分にツッコミを入れたいくらいです。この当時は、
体を壊すまで働いて、復活するとまた体を壊すまで働くというような生活をしてい
ました。解決策は「とにかく人よりも働く」という足し算しかありませんでした。

余計な足し算は時間も費用も無駄にするだけ

　実は、ビジネスがうまく軌道に乗っていない時にやることを増やすのは、逆効果につながるケースがとても多いです。たとえば

・YouTubeで動画配信するために撮影・編集技術を覚えたり
・ブログで毎日情報発信するためにネタ探しにずっと時間を費やしたり
・Instagramがいいと聞けばアカウントを作成してフォロワー増やしに一喜一憂したり
・僕のように無駄に人脈を繋げるために経営者会に入ったり、飲みの付き合いを増やしたり

　一生懸命あれこれと取り組んでみて、やることは倍以上に増えているのに、売上は倍どころか1円にもなっていない。こんな話をよく耳にします。

　これらは全部無駄な「足し算」といえます。そして余計な足し算は時間も費用も無駄にするだけです。

最高効率で結果を出したいなら「引き算」すべし

　僕自身15年前に初めてマーケティングに出会い、この過ちに気付きました。その中でも、現在の集客プロセスから無駄な要素を取り除く「引き算」のマーケティングを知ったことで劇的な成長を遂げることができたのです。

　当時、僕自身が売上を上げるために必要だと思っていた行動のほとんどが「余計な足し算」と気づかされた時は衝撃的でした。「頑張って働いてるね」と言って褒めてほしいくらいなのに、まさか余計なことだったとは夢にも思いませんでしたね。

　だから僕は確信しています。この「引き算」のマーケティングは、働きすぎる日本人に最も効果がある解決策だと。今ガムシャラに行動している人こそ、効果がすぐに表れやすいです。

　このようなビジネスパーソンは、日々のタスクに追われる中で、既に手に入れている「収益の原石」に気がついていないことが多いと感じます。ガムシャラに働く中で、自分にとって「当たり前」と思っている行動が実は多くの顧客の悩みや欲求を満たすものだという可能性が高いのです。

▌こんな課題を抱えているなら効果てきめん！

コストの問題を抱えている
・広告費の費用対効果が悪い
・なかなか広告費に多くを割くことができない

人手が足りない
・日々の業務でひとり社長の手が全然空かない
・やりたいプランはあるのに実行できるスタッフがいない

時間が足りない
・いろいろやれば収益が上がりそうなのはわかるが手を付ける暇がない
・イレギュラーやクレーマーなどの対応で多くの時間を奪われる

トライしているけど成果がでない
・サイトや広告を作ったりしているが成果に繋がっていない
・何が原因で反応がないのかわからず手詰まり状態

たまたまうまくいっているだけで不安定
・口コミや紹介でたまたま売上が繋がっているが、コントロールできていないので不安
・繰り返し成果がでる集客のパターンができあがっていない

▌ 効果は実証済み。だけどカンタン！

　この書籍では中谷が5,000人以上の経営者にアドバイスしてきた【高効率＋カンタン】にできる選りすぐりの引き算ノウハウを紹介していきます。

　マーケティングと聞くとちょっと小難しそうで不安を感じるかもしれませんが、この「引き算マーケティング」はとてもシンプルでかんたん。さらにわかりやすく、図解やイラストも活用して解説しています。あなたにも「あっ、これなら真似できそう！」と感じてもらえると思います。

　それでは準備はいいですか？

　「あなたのやることを減らしながら収益を上げる方法」

　一緒に真似できそうな引き算を見つけていきましょう。あなたの事業の収益とその先にあるもっと大切なものを手に入れてもらえるととても嬉しいです。

　　　　　　　　　　　　　　　　　　　　　　　　　　　　　　中谷佳正

書籍の効果的な活用方法について

この書籍はワークシートに対応しています

　本書で紹介する「引き算」の作業を進めるにあたって、お手元でメモとして活用できるワークシートを用意しました。実際に書き出して、アウトプットするほうが自分の考えがまとまりやすいので、ぜひ活用してください！　以下のQRコードからまとめてダウンロードできます。もちろん、シートを使わずに読み進めていただいいても大丈夫なように説明しています。

このマークが目印

　ワークシート対応の箇所は、右記のように見出し横にアイコンが表示されています。ダウンロードしたファイルから該当のシートをプリントアウトして書き出しを進めてください。

 ワークあります！

ワークシートのダウンロード方法

1 右記のQRコードを読み取ると、ワークシートの
申し込みページに遷移します。

https://www.winks.jp/subtraction-marketing/worksheet/

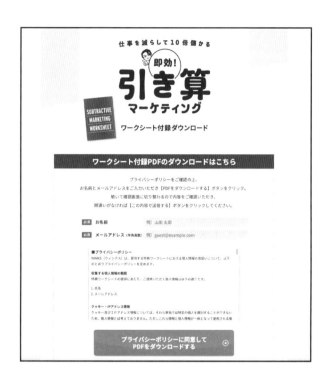

2 メールアドレスを送信いただくだけで、受信ボックスにワークシートのダウンロード情報が届きます。

※登録してもダウンロード情報を受信できない場合は、迷惑メールに割り振られていないかチェックをお願いいたします。もし、それでも受信していない場合は下記アドレスまでお問合せください。

問い合わせ先アドレス ： info@winks.jp

第4章：だれにも見られない広告を引き算する …‥ 147

第5章：ゴールがずれている営業を引き算する …‥ 185

あとがき　異業種の成功事例こそマネすべし！ …‥ 220

第1章

マーケティングは
引き算こそが近道

コラムvol.1　日本人向けに最適化された不変のノウハウ

マーケティングは「覚えること」「やるべきこと」が多すぎる

ホントにマーケティングってコレで合ってるのかな?

「マーケティングを取り入れれば、集客が安定する!」と思って挑戦した結果、こんな経験をしていませんか。

- ・Webサイトを作ってみたけど、特に問い合わせも増えない……
- ・広告を出してみたけど、広告費に対して反応が悪すぎる……
- ・価格も下げてみたけど、手のかかるお客さんが増えるだけだった……

こんな事態に陥るのは、あなたが「マーケティング」というものを根本的に見誤ってしまっているからかもしれません。

いまさら聞けないマーケティングの本当の意味

そもそもマーケティングって何だと思いますか?

ネットや本などでマーケティングについて勉強すると、こんな説明がでてきます。

> **❝ マーケティングとは**
> **「商品が売れる仕組みを作るための一連のプロセス」❞**

「だから、その『一連のプロセス』ってやつが、Webサイト作るとか、広告作るとかなんじゃないの?」

と、思うかもしれません。でもそれ、実は違うんです。

違うというか足りてないのです、しかも盛大に。

そしてこの盛大すぎる見誤り問題こそが、**中小企業にマーケティングがうまく浸透しない原因**にもなっています。

「見誤り方が盛大ってどのくらいなの?」

そう思いますよね。文字で書くよりイメージ図にしたほうがわかりやすいので、マーケティングに含まれるおもなプロセスをまとめてみました。

あなたがやるべき「一連のプロセス」を視覚化するとこんな感じ

想像をはるかに超えて多くないですか?　でも、もしマーケティングをきっちりやろうとするなら、どれ一つとして外せません。

どうですか？　やり切る自信ありますか？

　集客を安定させるためにマーケティングを取り入れようと思っただけなのに、実はこんなにもたくさんのことをしなければいけないなんて。これが見様見真似でマーケティングを実践しても成果が出ない理由です。

　さらに追い打ちをかけるようですが、前頁で記載したマーケティングの項目。スペースの都合上、まだ全部書ききれていません。事実、大手企業などではこれらをこなすために、マーケティング部門を立ち上げてチーム単位で作業に当たるくらいです。

　でも、個人事業主や中小企業の場合、やるのは代表の「あなたひとり」という場合がほとんどです。しかも当たり前ですが、あなたは通常の業務もこなさないといけません。どうですか？　やり切る自信ありますか？

「Webサイトとか広告つくったりとかそんな次元の話じゃないじゃん！」
「通常業務の合間に時間割いてできるレベルじゃないよ……」

　これでは思っていたマーケティングとはぜんぜん違いますよね。「この項目全部をひとりでなんて無茶だ」と僕も思います。

ひとり社長。今日も遠回りルートを全力疾走中

　ひとり社長はただでさえ、いつもタスクまみれで忙しいです。売り上げを安定させるために余計なことをしている時間などありません。

●どうやったらもっと効率的に作業を進められるか？
●どうやったら限られた時間やお金を有効活用できるか？

そんなコトを意識しながら行動しているので、タスクも毎日ギッチギチに詰めまくります。

毎日10時間以上働くなんて当たり前田のクラッカーです（すみません。意味がわからない人、そのまま聞き流してください）

「多少の無茶は仕方ない！」そうやってガムシャラに行動しまくり、さらにマーケティング手法を試すために時間を使う。まさに**「ひとりブラック企業状態」**です。もちろん頑張った分だけ報われればいいのですが、集客に成果が現れたかというと、ほぼ変化なし……ですよね？

では、次はどうするか？　多くの人が取る行動は同じ。それは「さらに頑張る」です。そしてこの「さらに頑張る」選択肢がひとり社長を成功から遠ざけている、すなわち、頑張っている人ほど、遠回りをしていることに気づいていないのです。

売上を作ることで忙しいのに、勉強が足りない……と感じて寝る間を惜しんで新しいノウハウをインストールしまくる。だけど現実は……知識は増えたけど、学んだことを実践する時間もなければ、スキルもない状態。

かくいう僕自身も起業当初は間違った方向に全力疾走していました

結局何も改善しないまま**「自分でもすぐにできて成果が出るノウハウって他にあるんじゃないか？」**そして、またガムシャラにインプット量を増やす。

こんなルーティンにハマり、自分が絶賛遠回り中なんて少しも感じていませんでした。毎回「今度こそイケそうな気がするー！」と本気で思ってましたから 笑。

さて、こんな風にガムシャラに頑張りすぎると、なぜ成功から遠ざかるのか？　イメージ図をみながら解説しましょう。

頑張り屋ほど気づいてない！？
成功から遠回りしてしまうカラクリ

頑張り屋のひとり社長が通りがちな①〜⑨の道をすごろくで再現してみました。

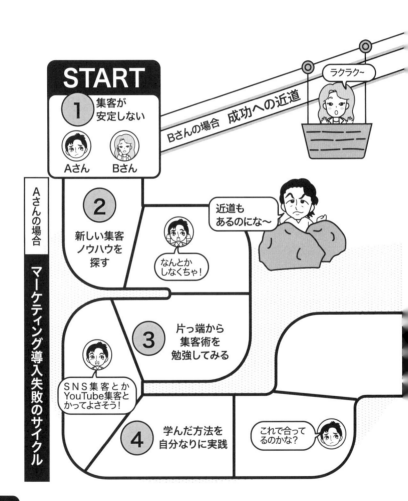

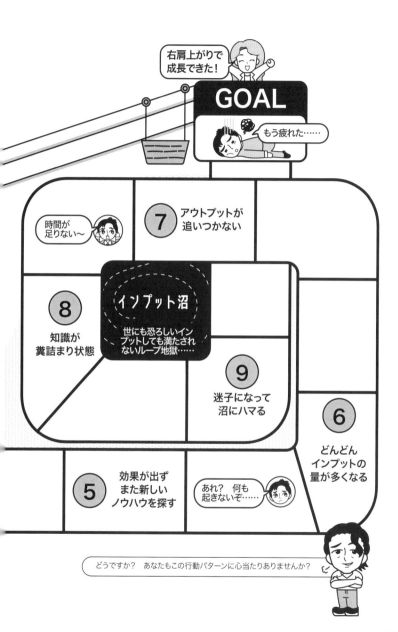

新しいノウハウは必要ない！　初めの一歩から見直すべし

さてちょっと考えてみてください。この失敗のサイクル、いったいどの段階からズレが生じたのでしょう？

答えは……②です。

悩みを解決するために行動した初めの一歩からズレてるということは、頑張るほどゴールから遠ざかる、ということになってしまいますね。

- 売上を上げるためには常に新しくやるべきことを追加しなきゃいけない
- 生き残るためには、流行りのノウハウを身につけ続けなければいけない

これって、悲しいかな、今まであなたが集客安定のために必要だと信じていた上記のようなことは、まったく必須ではなかったということを示しています。

そして、こうした無意味な頑張りは、「ビジネスは『足し算』で考えないといけない」という、思い込みから始まっているのです。

まずはこの認識を上書きすることから始めるよ！

実際に僕がどのように**「足し算」せずにクライアントの悩みを解決**しているのか？　を、具体的な事例で解説します。

事例から真似する！

とある行政書士が即効で生まれ変わった件

相談者の概要 業種：**行政書士** 名前：本宮さん

【抱えている悩み】

創業して15年、休みの日にプライベート時間を楽しむ余裕もなく、仕事に追われる日々。しかし休み返上で働いているにも関わらず、利益はなかなか上がらないまま、月日が流れていくばかり。もちろん、状況を改善するために勉強会に出たり、ホームページを立ち上げてSEOの施策を自分でやってみたり、全然得意分野じゃない広告コピーの書き方を習ったりしたが、まったく効果が出ない。

ヒアリング開始　相談者：本宮さん 　相談相手：中谷

いろいろなことを実践してみたんですね。
でも、利益は上がらなかった？

はい、まったく……。
子供と遊ぶ時間を削って働いても余裕が生まれません。

それはたいへんですね。
かんたんに解決できる方法がありますよ！

かんたんに？　どんな方法ですか？

本宮さんが今やっているサービスの中から、競合の参入障壁が高くて、さらに利益率もよく、今後も伸びていけそうな仕事だけにフォーカスして残りを辞めましょう。

 ……え？　あ、あの、小難しいうえに、レベルも高そう……

 安心してください。これを実現するためにすることは、たった1つですから。

さて、その超かんたんなあるコト。

それは「名刺を新しくして案内した」たったこれだけ。

具体的には、先ほど話した今後も伸びていけそうなサービスだけを残して他の情報を消しました。

> ### その結果

・半年以内に働く時間は5分の1になり、
利益は何十倍にも膨れ上がった

・空いた時間で子供との時間や
趣味を楽しみ、新しいビジネスを展開

かかったコストは名刺代の
1,100円だけだったわ

今必要な情報だけに集中する

さて、今の事例を振り返ってみてください。この本宮さん、売上拡大のために何かを付け足したでしょうか？　新しい技術を覚えたでしょうか？

そうです、**何も足していない**ですよね。これがこの書籍で紹介したい、ひとり社長が取るべきマーケティングの選択肢、**「引き算マーケティング」**です。

冒頭で紹介したように、本来やるべき項目はたくさんあります。しかし全部やらないと成果が出ないわけでもないのです。

ひとり社長がやるべきマーケティングは、

いかに今必要な項目だけに集中するか？

これに尽きるというわけです。

現在地から早速引き算を始める

「引き算で売上が上がるならこんなにありがたい話はないな」

こう感じますよね。でも無駄を省くって、いったい何から何を省けばいいのでしょう？　先程お話したように、これ以上新しい集客術を覚えなくてもいいというのなら、もちろんその前の段階から、ということになります。

ということは、答えは1つ……文字通り、まさに**今あなたがやっていることから引き算を始める**ということです。

何度も言いますが、引くってことがポイント。あなたの身の回りにすでに存在していること、今現在実践していることから、無駄なことを「引き算」します。

今の集客プロセスから無駄を省く、その状態からマーケティングの仕組みをつくる。それが「引き算マーケティング」。

この方法こそが**ひとり社長が最速で成果をだす解決策！**　というわけです。

引き算マーケティングは メリットだらけ！

足枷だらけのひとり社長でも無問題（モーマンタイ）

そもそも、ひとり社長は体が1つしかないうえに、資金も潤沢とはいえません。いったい何個足枷つけられてるの？　って感じです。

そんな制約の多い状態だから、成果を出すためには相当な追い風が吹かないと現状を打破するのは難しそうです。

引き算マーケティングは、**売上や収益アップにつながるのはもちろんですが、追い風となるメリットをたくさんもたらしてくれます。**それは売上低迷の沼にハマったあなたを一気に外側に吹き飛ばすのに充分なものです。

というわけで、ここでは**引き算マーケティングを導入することであなたが得られる5つのメリット**について紹介します。

引き算マーケティング5つのメリット

メリット1　コストがかからない

今の状態からやることを減らすのが引き算マーケティング。だからコストが増大して実践できないなんてことはありません。**収益に余裕がない方でも小さく手軽に始めることができます。**

そして一つひとつの施策にコストがかからないということは、いろいろ試す余裕があるということにもなります。事業の多くは失敗の連続。小さくテストして、うまくいったものに大きく投資する。これが成功のセオリーです。

引き算マーケティングは実践できるネタがたくさんあります。**すぐに実践できそうと感じたものから、順番に試すことができます。**コストがかからないというメリットだけでも、かなり可能性が広がりますよね。

メリット2　時間がかからない

具体的に引き算をする際のノウハウはどれも至ってシンプル。例を挙げると、名刺の変更・ホームページの更新・営業先を絞ったり、ターゲットや商品情報を減らすだけなので**今日からでも始められるレベルのものばかり。**

シンプルだということは当然、一つひとつ実践するためにかかる時間も大したことありません。既存のタスクをこなしながらでも始められるので、とても実用的なノウハウといえます。こうやって**スキマ時間を活用して成果を積み重ねたら時間も利益も余裕が出るようになります。**

メリット3　難しくない

もちろん**新しい知識やスキル、設備投資などは必要ありません。**あなたがやるべきことはすべて、今までやってきたことの延長線上にあります。むしろ、数ある施策やタスクの中から自分が最も得意なものに絞るので、今までよりかんたんで楽になるはず。

さらに、実践することはスキルや知識がなくても基本的にルーティンワークをしてくれる人材がいれば回ることばかりです。ということは、**今後、人材を確保したりチームビルディングする際もそのハードルを限りなく下げることができます。**

メリット4 即効性が高い

「レッドオーシャン」という言葉を聞いたことがありませんか？ すでに大手企業を始め競合がたくさん参入していて、戦うのが難しい市場をいいます。逆に競合がほとんどいない市場は「ブルーオーシャン」といいますが、ブルーオーシャンと言われる市場は、実はそこにはそもそも需要がない、というケースが多いです。

引き算マーケティングは、この**参入が難しいレッドオーシャンの中にブルーオーシャンを作ることができます**（具体的な説明は次節で取り上げます）。すでにマーケットが存在しているところに得意なサービスを提供する。これはすなわち、**即効性が高いという意味でもあります。**

メリット5 再現性が高い

引き算のノウハウは、**何度も成果が出せるように仕組み化することができます。**つまり、広告費をかけて一発大きなプロモーションを当てましょう！ みたいなギャンブル的なノウハウではありません。

要点さえ押さえたら、あらゆるジャンルのビジネスに適応可能。あなたのビジネスにも安定した収益をもたらしてくれます。「売上の事を考えると夜も寝れない……」いよいよそんな状態からあなたを解放してくれるでしょう。

1-3

劇的な成果に
たどり着くためのお約束

1つだけ守ってほしい約束事があります

　引き算マーケティングには成果を出しやすいパターンがいくつもあります。その中からあなたがとっつきやすいもの、真似しやすいものをチョイスして進めていけば、最短で成果を生み出すことができるでしょう。

　しかし、どのパターンをチョイスしたとしても、これから紹介するルールは絶対に守るようにしてください。守らないと近所のおばちゃんにお尻をペンペンされるのでご注意ください！

　なんてのは冗談ですが……、本当に守らないと、たとえ無駄を省くことができたとしても、「劇的な成果」というゴールにはたどり着けなくなってしまいます。でも、ルール自体は至ってシンプル。ご安心を！

絶対に守ってほしい引き算するときの共通ルール

　引き算マーケティングで1つだけ守ってほしいルール。それは

> **ニッチに絞り一点突破する**

です。このルールのポイントは「ニッチに絞る」と「一点突破」を同時に実行するところにあります。同じような意味に聞こえますが、実はちょっと違うのでそれぞれ説明しましょう。

▌【ニッチに絞る】とは

　入り込める小さな穴（隙間）を見つけるという意味。自分が参入している業界に自分の強みを活かして居場所（ポジション）を小さく作るということです。これはビジネスに限らずですが、新しいことや施策を始める際は、小さくスタートすることが成功の秘訣です。

　とはいうものの、強み（ニッチ）に絞ることが「経営者として怖くてできない」という方がとても多いと感じます。自分の戦う場所を絞るとそれだけビジネスチャンスが減りそうですしね。でもコレは冷静に分析してみれば、むしろ絞った方が成功しやすいということがわかります。どういうことか例を出して説明しますね。

建築会社をターゲットにコンサルティングをしている会社の場合

　「弊社では、建築業者さんのためにコンサルティングを提供しています!」
ざっくりこんな感じで広告展開をしている会社があるとします。

　しかしです。日本には約475,000社の建築事業者が存在しています。めちゃくちゃ多いですよね……。さらにざっくりですが、47都道府県でみれば、1つの都道府県に1万社あることになります。

　あなたの会社に1万社もクライアントが必要ですか？　という話です。ひとり社長にとって1万社の顧客は必要ないですよね？

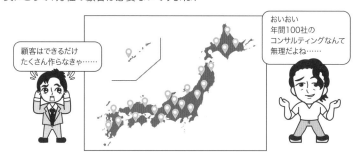

ほとんどの会社は年間でその更に100分の1である100社だったとしても多すぎると思いませんか？　せいぜい増えて20社くらいがいい塩梅ですよね。つまるところ、年間に20社程度クライアントが必要という話であれば、まずはニッチに絞っても問題ないと思いませんか？　ってお話です。

今のあなたはもっと多いかもしれないですが、それだと仕事が回らなくないですか？　だから減らしていくことが大事だよ

追い風を味方にする！
ニッチに絞ることはひとり社長と相性が抜群

こうやってニッチに絞ることはメリットがたくさんあります。大きなところでいうと、そもそも<u>ニッチなマーケットには大手が参入してくるケースはほとんどないということ。</u>

理由は、マーケットの規模が小さすぎて、大きな企業ほど採算がとりづらいからです。**その点だけをみても、ひとり社長が勝負しやすくなりますよね。**

さらに、ニッチに絞る際は自分の情熱やコツコツと積み上げたものを中心に行います。そうすることで競合他社が参入しにくい状況を作れるし、たとえ参入してきたとしても相手に優位性がないために負けにくくなるというわけです。

ニッチってそんなかんたんに作れるの？

さて「自分の強みを活かしたニッチを作る！」なんて、さもかんたんなことのように話しているので、きっとあなたはこんな風に感じていませんか？

「中谷さん、そもそもそんな都合よくニッチってあるものなの？　自分には無理じゃない？」

……たしかに都合のよいことではありますが、狙えるニッチは絶対にあります。というか、狙えるニッチって勝手に生まれるようになっているんです。

ニッチを生み出すビジネスエントロピーの法則

ちょっと難しいですが、熱力学とか統計力学という僕たちとは縁遠い業界に「エントロピーの法則」という言葉があります。ざっくり説明すると「元々は1つにまとまっていたものも、放っておくと無秩序になる方向に進んで自分で元に戻ることは無いよ」って話です。

この法則を応用して定義されているのが、「ビジネスエントロピーの法則」です。大きなマーケットは一度生み出されると自然と細分化される方向に向かう。そしてどんどん小さな個別の需要が生まれていくというものです。

なんか小難しいですが、実は僕たちの身の回りで常に起きている出来事です。

たとえば、2010年あたりであればホームページ制作という肩書で需要が満たされていました。しかし、そこからホームページ制作という需要が満たされ始めると、もう少し専門性を求める動きが自然と生まれていきます。

そしてそのカテゴリも一通り認知されると、さらに個別化が加速します。この個別化されたカテゴリを打ち出した制作会社へと需要は流れていきます。そして個別化に遅れた第1段階の制作会社は、普通の制作会社というイメージに成り下がり、問い合わせが減少していきやすくなります。

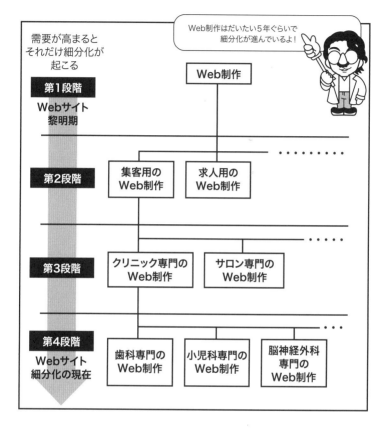

これがビジネスエントロピーの法則です。一度レッドオーシャンになった市場は、自然と細分化されていきます。しかし、その細分化された消費者マーケットにサービス提供側が追いついていないことが多い。

そこで求められるのは、引き算で強みを研ぎ澄まし、さらに細かい要望にも対応できる、まさにあなたのような存在ということです。だから**強みを活かしたひとり社長はニッチなマーケットとの相性が抜群**ということです。

▌【一点突破】とは

<u>ニッチで作った穴を突破口にして、深く根を下ろし影響の輪を広げる</u>という意味です。

なんか当たり前なことを言ってるように聞こえますよね？　そう、当たり前といえば当たり前なのです。でも多くのひとり社長が分かっていながらも、この一点突破を実行できていません。だからこそ、これを読んでいるあなたにはチャンスがたくさんあるのです。

▌ひとり社長が一点突破できていない理由

今まで、こんな企業や個人事業主をみてきました。

チラシやネット広告などで反応が得られているのに、そのデザインや広告文を変えて新しい事を始めてしまう。費用対効果が合っている、いわゆる当たっているプロモーションであるにもかかわらず止めてしまうのです。

あなたもそんな経験、ありませんか？

<u>どうしてそんなことをしてしまうのか？</u>　原因は拍子抜けするほど単純です。

それは、**やっている本人が飽きたり、我慢できなくなってしまうからです。**なんとなく同じプロモーションは繰り返さないほうがいいような気がしたり。毎回内容を変えるものだと思いこんでいる場合もあります。

　せっかく作った穴なのに、また違う穴を開けようとしてますよね。こうやって説明されるとすごく無駄に感じますが、当事者として行動していると、こういう点に気づきにくいものです。このように、広く浅く一気に多くのことに着手すると、メリットよりもデメリットが大きくなってしまいます。

　手を広げすぎることで起きるもっとも大きな問題。それは、何が原因でうまくいったのか？／失敗したのか？　が突き止められなくなることです。こうなると、改善が難しくなります。

　これは体の治し方と同じで、体調が悪い時に処方された薬を飲んで、自分で買った漢方も飲んで、なんてことを同時にしてしまうと本当に何が効果的なのかが分からなくなります。**改善していくなら1つ1つテストしていくことが大切**なのです。

や〜
一点集中あるのみ

まずは一点に集中して実践する。
うまくいったらそこを中心に影響の輪を広げる！

大きな成果を出していないのに引き算から始めて本当に大丈夫？

自分は引き算マーケティングの対象者になれる？

頑張れば頑張るほど、無駄な足し算になってゴールから遠ざかる。だいぶ衝撃的ですよね。

> えー、今まで寝る時間を削ってガムシャラに行動してたのに、無駄だったってこと???

> だれも本当のことを教えてくれないから、僕が伝えますが……
> **はい、ほとんどが無駄ですね 苦笑。**

とはいえ、せっかく起業しても、ガムシャラに働きそのまま終わっていく人も多い訳ですから……。

その点を考えれば、今このタイミングで知れたあなたはめちゃくちゃラッキーだと僕は思います。

┃ ちょっと想像してみてください。

これからはもう寝る時間を削ってガムシャラに行動しなくてもいいとしたらどうですか？　新しいノウハウを覚えなくても、SNSの発信を毎日しなくてもいいとしたらどうですか？

それが本当にできるならかなり嬉しいですよね。

▐ でもそうやってワクワクする反面……

同時に、別の疑問や不安を感じる人も多いかもしれません。

「まだ望んだ成果も得られていない状態の自分でも引き算から始めていいの？」

この辺は、かなり不安ですよね。自分が引き算マーケティングの対象者から外れているかも？　という疑問を払拭しないと、先に進めないかと思います。というわけで、あなたがしっかり対象者に合致しているのか？　**この問題について解決していきましょう！**

本当にいいの？　不安に思うところはみな同じ

引き算で成果が出るなら、それに越したことはないけど……

・**自慢できる強みを持ってる人にだけ使えるノウハウじゃないの？**
・**過去に一発当てたことすらないけどそんなレベルでも大丈夫なの？**
・**武器はすでにあると言われても、引き算したって鼻血も出ないよ？**

こんなふうに感じませんか？
実はそういう反応をする方が正常なんです。

> 　事実、僕が今までサポートさせていただき、急上昇で成果を上げているほぼすべてのクライアントさんが最初は同じ反応をしています。

「自分達には他の会社より優れている強みなんて無い。あるのは気合いと根性と行動力だけ」そんな風に思い込んでいる人がとても多いです。

そんな人たちに僕が具体的な引き算のプランを提案すると……

「えー、そんなに引き算したら、今よりもっと売れなくなるんじゃないですか？？？」

と、ほとんどの方が口を揃えて言います 笑。
でも実際に、提案内容を実行したら……

引き算マーケティングを実践した結果は！

- 働く時間が1/3になって売上は3倍以上

- 収益が右肩上がりになって5年で30倍以上の売上に成長

- 無名商品から大手百貨店の棚を獲得。商品の生産が追いつかない嬉しい問題発生

これらはほんの一例。中にはたった一ヶ月で新規の売り上げを4倍にした方もいました。ここで伝えておきたいことは、**どのクライアントさんも、カリスマタイプではなく、まさに頑張り屋そのもの**だということ。

そんな方たちが**当初の不安が吹き飛ぶくらいの大きな成果を出されています。**

4つの分野を改善するだけで大概の問題は解決します

5つの条件すべてを満たした方法で
レッドオーシャンに切り込む

「コストがかからない・時間がかからない・難しくない・即効性が高い・再現性が高い」いよいよこれらすべてを満たして独自のポジションを確立する方法について説明していきます。

こんな風に文字にして改めて条件を見ると、我ながらだいぶハードルを上げてるなと、不安になりそうです 笑。

とはいえ闇雲に「自分のポジションはコレ！」って宣言したところで、急にお客さんが集まり出す、なんてことはありません。しっかり**「あなたの強み」**と**「市場の需要」が交わるポイントを見つけてポジションを確立する**必要があります。

ビジネスには蟻の一穴を空けやすい分野があります

たとえば、大手企業の縄張りに参入してみよう！　なんて、これではニッチに絞るどころか、どんどんあなたの存在が埋もれてしまいます。

そこで紹介したいのが、**引き算しやすい4つの分野**。この分野を引き算すると、かんたんに蟻の一穴を空けることができます。つまり**引き算するだけで収益を上げやすくなる分野が4つもある**ということです。

最初はやりやすそうなものから着手してOKです。それだけでも十分現状を変える効果があります。そして新たに余裕が出たら残りの分野でも引き算をすることでさらなる成果をあげることができます。

　ハッキリ言っておきます。この<u>4つ以外の分野に着手しても難易度が高かったり、時間がかかったりとリスクが高まるのでオススメしません</u>。まずは僕と一緒にこれから紹介する4分野にフォーカスして、着手できそうなポイントを見つけていきましょう。

売上拡大への近道！　引き算しやすい4分野

menu

その1：ふさわしくないターゲットを引き算する
ex: P51〜 2章のはじめ

その2：情報モリモリのWebサイトを引き算する
ex: P101〜 3章のはじめ

その3：だれにも見られない広告を引き算する
ex: P147〜 4章のはじめ

その4：ゴールがずれている営業を引き算する
ex: P185〜 5章のはじめ

▌その1：ふさわしくないターゲットを引き算する

📖 ex: P51〜 2章のはじめ

4分野の中でも**もっともビジネスの根幹に関わる引き算ポイント**です。だからこの引き算がうまくいくと、収益が上がるだけじゃなく、ストレスも激減するケースがほとんどですね。

僕がクライアントの引き算を手伝う時にはとにかくココの分野から可能性を探ります。ビジネスをしていて日々、顧客やサービス提供にストレスを感じている人は、このターゲット設定が間違っている可能性が高いです。

```
┌─ こんなコトに心当たりありませんか？ ──────────┐

 ・チャンスを逃さないために、ついいろいろな人に売りたくなっちゃう

 ・クレーム客や面倒くさい客が後を絶たない

 ・なんで自分は顧客に恵まれないんだろうと感じる時がある

└────────────────────────────────┘
```

自分でビジネスをしていると、商品が優れているほど色々な人に売りたくなるものです。この気持ちはめちゃくちゃ分かります！

でもね、あれもこれもとターゲットの幅を広げていくうちに、段々と魅力的な打ち出しができなくなっていくもの。**最終的に見込み客にメッセージが届かなくなってしまいます。**

また、ターゲットが広いと自分の商品にあまり価値を感じてくれない顧客に対しても、優良顧客と同じような労力を割いてしまう。声の大きいクレーム客の方に引っ張られ、そこをメインとするビジネス展開をしてしまう方をとても多く見てきました。想像するだけでも無駄が多くて引き算の余地が多そうですよね？

その２：情報モリモリのWebサイトを引き算する

ex: P101～ 3章のはじめ

　もしあなたが<u>Webサイトを集客ツールとして活用している、もしくはこれから活用を考えているのならこの分野も要チェック</u>です。といっても新しく起業してWebサイト無しで成り立つビジネスなんて年々無くなってますけどね。Webは基本的にほとんどのビジネスに関係のある分野であるといえます。

　しかしながらこの分野って、業者のいいなりになっているケースがとても多いです。知識がないとどうしても任せざるを得ないので、仕方の無いことではあります。でも、コントロールできない要素が増えるほど、ビジネスは苦しくなりやすい。これを機にWeb周りでも最低限知っておくべき事を一緒に学びましょう。

こんなコトに心当たりありませんか？

- 知り合いがWebサイトで成果をだしているので真似してみたけど、全然売上に繋がらない
- 専門の業者にサイト運用をまかせているけど、あまり効果が実感できない
- そこそこ見栄えのいいサイトができたと思うけど、反応がない

　Webサイトは魔法のツール！　と捉えている人が、まだまだ多いと感じます。

　Webサイトを作ったら問い合わせ増えそう！　とか、競合他社よりイケてるサイトができたから売れそう！　なんて思っても現実は……せいぜい家族や友人、飲み会で少し自慢できるだけのものになりがち。いわば、社長の自己満足サイトになっているのがほとんどなのです。

　Webサイトは、作れば魔法が起きるものではありません。しかし魔法がかかったように見込み客があつまる効果を生み出す場合があります。

それは正しく引き算されたwebサイトを作った場合です。

Webは紙媒体と違って基本的にスペースに制限がありません。だから載せたい情報は全部載せられちゃいます。あなたのこだわりを余すことなく伝えることもできます。そして<u>顧客が本当に知りたい情報を埋もれさせることもできます 笑。</u>

あなたの本当の強みが埋もれないようにする。そのために**Webサイトにも引き算を適用**していきます。

▌ その３：だれにも見られない広告を引き算する

ex: P147〜 4章のはじめ

この分野は単体で存在する場合もありますが、ほとんどの場合Webサイトにアクセスさせたり、来店や面談に繋げたりと、他の分野と連結しています。なのでココから引き算を始める場合は、連結している前後の分野にも着手すると効果が倍増する可能性が高いですね。

こんなコトに心当たりありませんか？

・広告を出しているけど、そこからの売上よりも広告費の方が高い気がする
・いろいろ試しているけど、自分のビジネスに合った広告媒体が見つけられない
・反応がイマイチなのはわかるけど、どこを改善すべきか検討がつかない

僕の会社はクライアントの広告運用も行っています。当然広告に関する悩みも毎日聞きます。中でも一番多いのが**「何かいい広告はないか？」という質問**です。

でも、そういう目線で広告選びをしていると正解にたどり着くのに、めちゃくちゃ

遠回りしてしまいます。また、この手の質問をされる方はアクセスを集めればなんとかなると思っている人が非常に多いです。実のところ**アクセスを増やすだけでは売上が改善することはありません。**

このように、紙/Web広告分野においても数多く無駄が存在します。**何を引き算すればいいかが見えてくると、自動的に最適な媒体や広告文も導き出せる**ようになります。

┃ その4：ゴールがずれている営業を引き算する

📖 ex: P185〜 5章のはじめ

Webや広告を駆使して見込み客を集めても、実際に話をする段階で成約を逃しては今までの苦労も水の泡です。うまく魅力を伝えられなかったり、逆に勢いが強すぎて不審がられて成約を逃したり。

意外に見落とされがちですが、トークやプレゼンが苦手なのにいつまでも改善できずにいる人が数多くいる分野でもあります。

┏━━ **こんなコトに心当たりありませんか？** ━━┓

・問い合わせはあるのに実際に話すと成約に至らないケースが多い
・人見知りでトークが苦手だからつい説明が早口になってしまう
・商品に自信はあるんだけど、価格を伝えるのが大の苦手

短い時間で、自分のやっていることを理解して興味を持ってもらうことができれば、商品を購入してもらえる可能性は最大限高まります。

ポイントは短い時間で、という点。大概の場合、あなたに与えられた相手との接触時間は長くありません。そのため、**無駄なことを話していてはお客さんに逃げられてしまいます。**

苦手な人が多い分野でもありますが、ココでも引き算の解決策があります。しかも売り込みをせずに、**短時間で相手に欲しいと思ってもらう方法なので、人見知りや口下手な方にもおすすめ**です。

順番に着手すれば文句なしの仕組みができあがる

どうでしたか？　結構心当たりがある分野があったのではないかと思います。実際に今まで2,000社以上の方に、コンサルやセミナーを通してこのノウハウについてサポートしてきました。たくさんの方たちの声を聞いてきましたが、**ほぼすべての問題の解決策がこの4分野に集約できます。**

もちろん、あなたの興味がある分野から始めても十分効果を出せる内容になっています。ただこの紹介した順番は、実は**強力なビジネスモデルを作る順番にもなっています。**

なので1から順番に再確認も含めて着手することで、より盤石な集客の仕組みを作ることができるようになります。

迷ったら僕と一緒に
1から順番に着手していきましょう！

コラムvol.1

日本人向けに最適化された
不変のノウハウ

日本人の特性を活かした日本人のための「引き算マーケティング」

　日本には本当にいい製品やサービスがたくさんあるのに、海外由来の
マーケティング手法をそのまま日本でも適用しようとして、売れなくしてし
まっているという現実を強く感じます。

　一応僕自身も含めて、**日本人は実直で頑張り屋の人がとにかく多い。**

　特に自分で起業してビジネスを起こそうなんて変態なあなたは、なおさら
その傾向が強いと思います。

> まぁ、最近の僕は休憩が多めですが……

　何かうまくいかないことがあると、その原因を基本的に

「自分の努力が足りてない」
「能力がまだまだ追いついてないからだ」

　と紐づけてしまう傾向にありませんか？　そんな人がマーケティング最
先端であるアメリカのノウハウをそのまま使おうとすると、違和感を感じた
りうまく取り入れられずに終わってしまうケースがよくあります。そのため**日
本人の特性に合わせてノウハウを伝え直す**ことを僕は続けてきました。

マーケティング先進国で感じた違和感

もちろん僕自身、海外や日本人の特性をすべて熟知しているわけではありません。しかしアメリカでマーケティングの権威と呼ばれる人たちとビジネスについて意見を交わして来た際

「あ、ビジネスモデルを作る際の根本的な考え方が日本人とは違うな」

と感じる場面がありました。

具体的には、起業スタートアップ時期の人たちが、収益を安定させるまでのプロセスについて話をしていた時です。欧米の人たちは、「収益が出るビジネスモデルを見つけて、そこにどうやって自分のスキルを当てはめるか?」という考えからスタートしているように感じました。

いっぽうで僕たち日本人は、自分の強みや魅力を活かして「いかに世の中に貢献できるか?」という想いから、起業をスタートする傾向が強いです。

(※でも実は、この時点で本当の自分の強みや魅力に気付いている人ってまれだったりします)

くわしくは後ほど解説するよ!

これって結構な違いだと思いませんか？

つまり欧米の場合、すでにうまくいっているスキームに自分のスキルやサービスをセットしていくので、無駄が生まれにくい。その代わり後から努力して他社との差別化や付加価値を生み出す課題があります。

それに対して日本人は、「強み」や「思い」からスタートしている分、差別化要素も兼ね備えている。しかし、それを具現化するために、どうすればビジネスになるのか？　**ビジネスモデル探しが最初から課題になります。**

このような根本的な違いゆえに、たとえ向こうでうまくいったノウハウだとしても、**情報をすんなり受け入れられずブレーキがかかってしまったり、やりにくいなと感じてしまう**わけです。なんとなく共感できますよね。

日本人経営者のために生まれた引き算マーケティング

もちろん、マーケティングのノウハウ自体が使い物にならないわけではありません。日本人ならではのいい特徴を活かしやすいように取り入れ方を調整すればいいのです。それが**引き算マーケティング**。

あなたのようなひとり社長は、すでに強みや想いからスタートして、競争力の高い武器も持っている可能性が高い。

しかし、ビジネスモデルを模索する過程で埋もれに埋もれて、最終的に「あれ？自分の強みってなんだっけ？」と迷子になってしまう。ここに問題があります。

というわけで、ひとり社長に必要なこと。それは

**埋もれてしまった強みを見つけて、
シンプルな集客の仕組みを作ること**

これが引き算マーケティングの大前提の考え方です。

結論！　あなたは引き算マーケティングで生まれ変われます

どうでしょう。あなたも十分に引き算マーケティングの対象者になっていることが伝わりましたか？　まだ完全に信じられなくても大丈夫です。今は期待と不安がごちゃまぜの状態で問題ありません。ほとんどの方がそうなので安心してください。

ただ、もしあなたが、毎日YouTubeを撮ったり、ブログを書いてみたり、事業計画セミナーに出てみたり。そんな日々を過ごしながらも、全然成果に繋がっていないとしたら。いったんそれら全部を横において、エネルギーをチャージしましょう。

これから引き算マーケティングの全貌や、具体的な始め方などを順番に紹介していきます。**進めば進むほど、不安が納得に変わりいろいろ試してみたくなるはず。その時こそ、溜まったエネルギーを使って存分に行動してください。**

> がんばり屋のひとり社長がマーケティングを始めるなら、
> 引き算マーケティングこそが成功への近道

第2章

ふさわしくない
ターゲットを引き算する

引き算マーケティングは
ターゲット設定から着手すべし

効果絶大！ マーケティング構築の正しい順番がコレ

突然ですが、あなたは肉じゃがを作れますか？ 肉じゃがを作れる人と作れない人、この違いってなんでしょう？ 答えはかんたんで、肉じゃがを作るための必要な材料と作る順番を知っているかどうかだけです。

多少の上手い下手はあるかもしれませんが、レシピ通りに作れれば、センスや能力ってあまり関係ないですよね。何事にも、その仕組みを正常に機能させるための順番やセオリーというものがあります。

ちょっと話が飛びましたが、マーケティングの仕組みを作る際にも、**成果を出すための順番が存在します。**引き算マーケティングでは、マーケティングに関する4つの分野を引き算していきますが、すべて下記のマーケティング構築プロセスに則した引き算になっています。

マーケティングがうまくいかない時は、必ずこの項目を順番に見直すことになります。そこでココでは、各プロセスで一体何をするのか？ を解説していきますので流れを覚えておいてください。

マーケティング構築プロセス

マーケティングを始める時は、次のページにある図の上段から順番に明確化・言語化していきます。

そうすることで、望んだ顧客が集まる仕組みを作ることができるようになります。

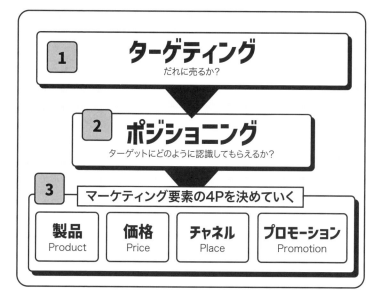

 1 ターゲティング／だれに売るか？　を考える

何よりもここが最初。

ここが的外れだったり、ぼやっとしているとうまくいきません。

- ・ターゲットがズレている
- ・ターゲットが広すぎる
- ・そもそもターゲットが明確じゃない

　どういう人の問題を解決したいのか？　どういう人の欲求を満足させたいのか？　あなたが明確に「情熱をもって関わりたい」と思える相手を想像してください。

2 **ポジショニング／立ち位置を明確にする**

　これはあなた独自の立ち位置の事です。競合サービスの中からお客さんが「わざわざあなたを選ぶ理由」でもあり、あなたが市場に存在する意味でもあります。ここがハッキリ明確になると、レッドオーシャンの中でも自分の居場所を作ることができます。

歯科専門の
Web制作会社

アレルギーに
対応した
やきたてパン屋

個人事業主に
特化した
YouTube
コンサルタント

自分独自のポジションを確立すれば、
競合がいても生き残っていける！

- -

 3 **マーケティング要素の4Pを決めていく**

　お客さんが集まるマーケティングを実施するために、4つのPを具体的にしていきます。

製品 Product
・どんな製品・サービスか？ ・だれのためのサービスか？ ・具体的なサービスの内容

チャネル Place
・どこで売るか？ ・あなたのサービスが買える場所 ・相手の目に触れることができる場所

価格 Price
・いくらで提供するか？ ・その価値を感じてもらえるか？ ・明確な理由にもとづいた価格設定

プロモーション Promotion
・どのように売るか？ ・相手の心にどう響かせるか？ ・ホームページや広告・セールスの 　組み合わせ方

すべてのマーケティングはターゲット設定から始まる

53ページの図のように、成果が出るマーケティングがしたいなら、まずは**ターゲットをしっかり明確化することから着手します。**引き算マーケティングの場合も同じ。最上段のターゲット設定に関する引き算から始めると効果が大きくなります。

しかし世の中の会社の多くがこの手順通りに進められていません

「こんな商品仕入れられるようになった！」

「商品の原価が500円だから2,800円では売らないと利益でないよね」

こんな感じでスタートしてしまいがちですが、これはマーケティング構築プロセスでみると最下層のProductからスタートしていることになります。

さらに、「ホームページを作ろう！」「インスタ始めてみようぜ！」「プレスリリースもやってみたいよね」と、ターゲットとポジショニングを考えずに、4Pをどんどん進めてしまう。これが価格競争に陥りやすい会社の特徴です。

もしあなたがこのように、マーケティングがうまくいかず、なかなか成果に繋がらなかったというひとり社長だったとしても。これから僕と一緒に、図の上から順番にしっかり引き算していくことで、成果が爆裂できるようになります。

そのために、**まずはターゲットの引き算から一緒に着手していきましょう！**

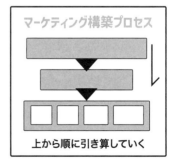

マーケティング構築プロセス

上から順に引き算していく

実はターゲット設定を広くするほど売上は下がる！？

具体的なターゲットの引き算作業を始める前に、ターゲット設定に関するありがちな間違いと回避方法について話しておきます。

「ターゲット設定くらい分かってるから、いちいちそんな話いらないよ」

こんな風に感じませんでしたか？　実際、僕のお客さんのほとんどの方が「ターゲットくらいすでに設定してるよ」と話されます。

一緒に確認してみましょう。もしかしたら今のその気持ち、読み終わる頃には180度変わっているかもしれませんから。

そのターゲット設定だとまだまだ不明確かも

実は、ほとんどの会社がターゲットを広く取りすぎています。起業した当初や独自のビジネスモデルを作る際に、だれしもがターゲット設定について考えたことがあると思います。

事実、僕自身がコンサルをする際に「ターゲット設定はどうなっていますか？」と聞くと、ほとんどの方がちゃんと答えてくれます。

しかし、その答えの内容はというと……

　日本の中小企業は、実際は3,578,000社を超える訳です。このあたりは第1章でも触れたので何度も細かくは言いませんが、こんなにクライアントはいらないですよね？　ってこと。

　ほとんどの社長はもっと小さいマーケットで戦っても大丈夫なわけです。

　ということはこのぐらいでは、まだまだターゲットが不明確といえます。実は、ほとんどの会社がこんな風に、ターゲットを広く取りすぎています。

　そして、今回一番伝えたいのがココから！

　実はターゲット設定が不明確だと、あなたが思っている以上に悲惨な未来が待っているのです。

ターゲットが定まっている人と曖昧な人の大きな違い

あなたも顧客との関係性でこんな風に感じたことありませんか？

・やたら値切ってくるお客さんが多い
・雑用のようにこき使ってくるお客さんがいる
・なんか自分はお客さんに恵まれてない気がする

もしかしたら今もそんな顧客がいて、日々悩みの種かもしれません。

でもね、その面倒なお客さん。**あなたが気づかないうちに、あなた自身が集めている可能性が高い**んですよ。

「そんなわけ無いでしょ！　なんで嫌いな客を自分から集めなきゃいけないの？」

みなさん最初はこう言います。

ではなぜ「ターゲットが定まっていない、または不明確だと、面白いくらいに望まない顧客が集まってくる」なんてことが言い切れるのか？　そのカラクリを、実際に僕の回りにいた、とある2人のビジネスマンのエピソードを交えながら説明しましょう。

年齢も環境も似ていて、ビジネスの規模も同じ。もちろんスキルも同じ。似たもの同士のAさんとBさんがいました。2人の唯一の違いは、しっかりとしたターゲット像を持っていたか、持っていなかったか。たったそれだけ。

さて、2人の成長はどのくらい変わってしまうのか？　実際にお会いしてきた人たちのその後をみていきましょう。

ターゲットが不明確なAさんの悪循環

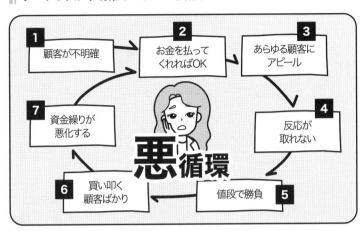

1 顧客が不明確という問題を抱えていると

2 お金を払ってくれれば誰でもいいという発想になる

3 するとあらゆる顧客に広くアピールするようになる

4 ターゲットを広くとると、メッセージが弱いので反応が取れなくなる

5 独自の強みがないので、価格を下げて値段勝負の作戦しかとれなくなる

6 安売りをすると、買い叩く顧客ばかりが反応するようになる

7 資金繰りが悪化するから、
なおさらお金を払ってくれる人にアピールするようになる

買い叩く顧客の頭の中

いろいろ言うことを聞いてくれそう	てことは価格も安くしてくれそう	他との違いがわからないなぁ

こうやって望んでもいない人を引き寄せまくる……

こんな感じでどんどん負のループに陥ってしまいました。

「すべては顧客が不明確なところから始まっている」という点が重要です。しかも早くそれに気付かないと、さらに傷口を広げる行動に出てしまいます。

「反応がないからホームページを作り直そう」

「資金繰りを解決するために銀行への交渉だ！」

でもこれらは的外れな解決策。負のループから抜け出すことはできません。それどころか

- どんどん望まない客が集まる
- 毎日忙しい
- しかもやりたくないお願い営業
- 面倒な客の対応がほとんど

利益も残らないし本当に最悪です。

ターゲットがしっかり定まっているBさんの好循環

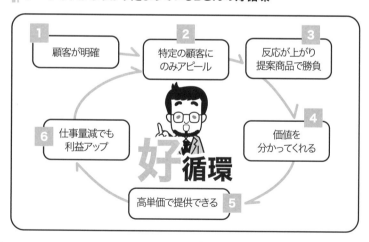

1 顧客が明確
2 特定の顧客にのみアピール
3 反応が上がり提案商品で勝負
4 価値を分かってくれる
5 高単価で提供できる
6 仕事量減でも利益アップ

好循環

1 スタート時点で顧客が明確に定まっている

2 特定の顧客にのみ
アピールするので相手の心に響くメッセージを発信できる

3 当然、反応が上がるので独自の提案（商品）で勝負することができる

4 顧客にとっても"わざわざあなたに依頼する"価値が伝わりやすくなる

5 そうすると高単価で買ってくれる、理想的ないいお客さんが集まる

6 結果的に仕事量を減らしながら利益を増やすことに成功

こんな感じで無駄なストレスを増やさずに好循環を生み出すことができました。いったい何がこんなに真逆の運命に分かれてしまったのでしょう？

そうです、**ターゲットがしっかり定まっていたか、そうじゃないか、たったそれだけの違い**です。ほんとに恐ろしいですよね。

ターゲットが定まっている人と曖昧な人の大きな違い

マーケットは常に細分化しています。それに合わせて今、この時もターゲットの細分化も進んでいます。だれもが

私にぴったりな商品　　私にぴったりな広告　　私にぴったりなメッセージ

を探しているのです。

だから、何年も同じターゲティングのままで集客活動・広告活動をしていると、費用対効果が悪くなりやすいです。**時とともに競合他社が増えて、あなたを選ぶ基準がなくなっている場合が多いから。**

活動を始めた当時は問題ない絞り方だったけれど、今となってはターゲットが広くなってしまった方や、しばらく変更を加えていない方は、再度見直すこと。また、まだ設定をしていないのであれば、早急にターゲット設定をする必要があります。

ターゲットを引き算する
もっともかんたんな方法

おすすめ！ ターゲットの絞り方＝優良顧客に絞る

ターゲットの選定をするべく勉強しようとしても、「3C分析」や「ペルソナを作る」「顧客のインサイトを掴む」などなど、いろいろな言葉が出てきてヨクワカラナイ……。そんな経験をした方もいるかもしれません。もちろん、これらもきちんとやれば、成果が出ることは間違いないです。

しかし今回、あなたにやってもらうことはたった1つ。それは**「ターゲットを今現在の優良顧客に絞る」**こと。

かなり作業をショートカットしますが、これも引き算マーケティング。**これをやるだけでも十分あなたに最適なターゲットに絞ることができます。**手間や時間がかかる作業はできるだけすっ飛ばしてしまいましょう！

パレートの法則でターゲット選定を大幅ショートカット

パレートの法則って聞いたことありますか？ もしかしたら20：80の法則という呼び方のほうが聞いたことがあるかもしれません。

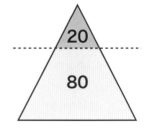

たとえば、クローゼットの中の服。クローゼットにはたくさん服があるのに、洗濯して乾いたばかりのTシャツを「あったあった！」なんて言いながら着ている経験はありませんか？

同じようにビジネスでも、**全体の2割が8割の成果を生んでいる**ケースが多くあります。

あなたが活動する全時間の2割が全体の8割の収益を生んでいたり、反対に、あなたの時間を奪っているクレームや面倒な対応の8割は全体の2割の顧客から生み出されている、みたいな法則です。

> たった1、2名の面倒な顧客が
> あなたの8割のストレスを生み出す。
> 心当たりありませんか？

顧客全員を上位2割みたいな人にする

同じように、上位2割の顧客が全体の8割の売上を生み出しているともいえます。

試しに、ここ数年の取引履歴を見返してみてください。「何回も仕事を依頼してくれるいいお客さん」が頻繁に登場していませんか？　その人こそが、**売上の8割を生み出す「優良顧客」**です。

ピッタリ2：8になっているかは別として、かなり近い割合にはなっているかなと思います。パレートの法則自体は、きちんとした実証はなく、あくまで経験則として言われているにすぎません。割合は人によって異なるかもしれませんが、この考え方は「たくさん売上を出してくれる優良顧客」を見つける役に立つはずです。

……もし、「そんな人見つからないよ！」というあなたは、上で説明した負の悪循環にすっぽりはまってしまっているのかもしれません。そんなあなたのための解決法もこの先解説するので、安心して読んでくださいね！

これからは今の顧客全員に向けたメッセージではなく、**上位2割だけが反応するようなビジネス**を組み立てていきましょう。そもそも、クレーマーや面倒なお客さんの意見に右往左往しても時間の無駄ですからね。

ちょっと想像してみてください。あなたの顧客全員が、今の上位2割の優良顧客みたいだったら？

メチャクチャよくないですか？

なかなか売上が安定しない人は「いいお客さんはいるけど、割合でいうとかなり少ない」という傾向にあります。でも**引き算マーケティングを活用することで、そんな優良顧客を量産することが可能**になります。

かんたんに言うと「安さを重視して常に浮気するお客さん」と「あなたの商品が好きで定期的に購入してくれる人たち」。それぞれが喜ぶサービスも、それぞれに響くメッセージもまったく違います。

ターゲットを変えることで、すべてのプロモーションが変わります。かんたんに成果を出したいのなら、まず**ターゲットを優良顧客だけに引き算する方法**を何より最初におすすめします。

あなたの「BEST」と「GOOD」から独自のポジションを築く

優良顧客だけを集める、夢みたいな状態を狙って作る

「ターゲットは売上の8割を生み出してくれている上位2割の優良顧客に絞る。そして顧客すべてを優良顧客でいっぱいにする」

こんな風に欲しいお客さんを狙って集めるって、なんだか夢みたいな話に聞こえるかもしれません。でもそんなこともないんですよ。あなたもこの引き算マーケティングを一緒に進めていけば、その夢のような状態を手に入れることができます。

実はあなたの身近にもすでにこの状態を作れている人、いるかもしれません

ちょっと記憶を辿ってみてください。あなたがメチャクチャ忙しくしている時、いつもゆったりしているのに利益をしっかり出している。そんな人を見たことはありませんか?

> なんであの人は家族と過ごす時間を大切にして、仲間の誘いも断らずに来るのに要領よく利益を出しているんだろう?

不思議に思ったことはないですか? 自分の方が仕事を頑張っているし、能力だって自分の方が上だと 笑。

実はその人達こそ、欲しい顧客に囲まれる仕組みを持つやり手な人たちです。

欲しいお客さんに囲まれるということは

自分の得意なことだけを活かして集客しているということ

得意なことだけに集中しているから自分に必要なこと以外を何もしていない

いつもゆったり余裕があるのに収益がしっかり上がっている

こんな理屈です。

さて、もう羨ましがるのはやめましょう！　これからあなたにも
その方たちのようになっていただきたいと思います

あなたの持つ3つのスキルと優良顧客の関係性

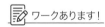 ワークあります！

　前節の「パレートの法則」で、ある程度は優良顧客にあたりをつけることはでき
たでしょうか？　「金払いはいいけど嫌な人」または「すごく腕を買ってくれてるけ
ど、金額は安い」なんて状態でうまく分類できなかった……という人も安心してく
ださい！　もう1つ、お勧めの方法をお伝えします。

　それは、自分のスキルを**「BEST」「GOOD」「BAD」**で仕分けしていくことです。

あなたを構成する3つのスキル

BESTなスキル

□あなたが得意と感じていること
□情熱が湧くこと
□周りからも評価されている(実績が多い)こと
□利益率が高いこと

あ、全部当てはまる
お客さんがいるなぁ!

あなたが持つスキルの中でこれらの**条件をすべて満たしているものこそが**BESTなスキルです。よく売れていたり、もっとも評価されている商品は、自分のBESTなスキルを活かした商品の可能性が高いです。

GOODなスキル

そこそこ人並みに対応できること。苦手でもないし、メチャクチャ得意というわけでもない。あなたのイチオシではないけども、**対応可能な商品やサービス**がこれに当たります。

BADなスキル

苦手なこと。やることでストレスを感じたり、普通よりも時間がかかること。そもそもこのスキルは商品化できません。

こういう風に言語化されると、なんとなく自分の中でも分類できませんか?　この続きを読み進める前に、実際に提供しているサービスを見返しながら、自分のスキルを仕分けしてみてください。

現時点で「1個もBESTなスキルをいかした商品がなかった……」
なんて状態でも絶望しないでください。
この後に解決策を用意してあります!

9割の人が知らない。
優良顧客をあなたから遠ざけている意外な原因

さて、どうでしょう？

3つに分類といっても、キレイに3等分にはならなかったんじゃないかと思います。

おそらくBEST＜GOOD＜BADの順にピラミッド型に多くなってしまったのではないでしょうか？

▌ここで質問です！

Q.今まであなたの成長を妨げていたのはどのタイプのスキルだと思いますか？

仕分けしてみたら「BAD」が絶望的に多くなかったですか？　「BEST」が片手で数えられちゃうくらいしか無かったことにも危機感を感じますよね？

でもどちらも違います。

答えは「GOOD」。

メチャクチャ意外ですよね。数少ないBESTのスキルを補うための重要なサブ的スキルでもあるGOOD。当然、大得意とまではいかないけど、そこそこ対応できるサービスになっているとおもいます。

でもそれが、あなたの集客を鈍化させ売上を頭打ちにする足枷になっていたというわけです。

サービスの幅を広げるために良かれと思ってやってきたこのGOODの活用がなんで足枷になっていると言えるのか？　そのカラクリを紐解いていきます。

GOODがあなたの成長を邪魔しているカラクリ

まず最初にあなたの商品が順調に売れていくためには**見込み客がわざわざあなたから買いたいと思える明確な強み**が必要です。この条件を満たしているのがあなたのBESTな商品というわけです。

GOODな商品はこの点でいうと、そこそこのクオリティなのでわざわざ選ぶというレベルには到達していません。

では、**わざわざあなたから買う理由がない**場合、その商品はどうすれば売れるようになるでしょうか？　それは世にも恐ろしい価格競争に身を投じることです。しかし、価格競争に賛成していいことなんてほぼありません。

価格競争に突入すると……

・価格だけを求める面倒な顧客が多くなる
・価格しかメリットがないのであなたの立場が低くなる
・相手の言う事を聞かなきゃいけなくなる

2-2でも紹介した悪循環の始まりです。だから競合他社との差別化が必要になるわけです。ここまでは同意してもらえますよね？

それがわかったところで、次は実際にあなたがもつ商品ラインナップの構成について、BESTとGOODがそれぞれどのくらいの割合なのかを見ていきましょう。

程度の差はありますが、概ねあなたのBESTとGOODの割合は2:8くらいになるかと思います。BADが下位8割と思いがちですが、そもそもBADを商品にする人なんていませんよね。

ここで今一度BESTとGOODの特徴について確認します。

BEST＝ 得意・成果を出しやすい・対応のスピードも早い・利益率も高く**競合他社との差別化を生み出せる**

GOOD＝ できる・対応可能のレベル・対応時間もそこそこかかる・利益率が低く、**クオリティも良くて競合と同じかそれ以下のレベル**

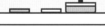

つまりGOODを活かした商品・サービスの数が多いほど、時間やコストの割に成果が出ないということです。しかも競合との差別化もできなくなるので、ビジネス全体の魅力が伝わりづらくなるという事態に陥ってしまいます。

そんなつもりは無かったのに、どうしてこんな割合になってしまったのでしょう？
それは、**できることすべてをサービスに加えたから。**

GOODもサービスに加えてしまうことであなたの意識・時間・お金が正しい所に
集中投下できなくなった。結果としてこんな不毛な状態を引き起こしていたという
カラクリです。

あなたの「BEST」を発揮できる
上位2割の顧客に向けてビジネスを組み直す

もうだんだん売れるビジネスの組み方がわかってきたんじゃないかと思います。
今までは……

・**売れるビジネスってどうやって作るんだろう？**
・**SNS、やったほうがいいのかな？**
・**サイトをリニューアルすれば集客できるかな？**

このように、マーケティング構築プロセスの最下層「4P」のレベルで改善策を模
索していました。これだと**ターゲットが正しく設定されていないので、やればやる
だけ時間とお金を無駄遣いするだけ。**

でも、BESTを活かせる上位2割にターゲットを引き算することができれば、即
効性バツグンです！　あとは、上位2割の顧客に合わせてビジネスを変えていけば
OK。たったこれだけで、**今までストレスだった部分を切り離しながら成果を倍増
することができます。**

上位2割の顧客に合わせた
ビジネスを作る3つの方法

　ここからは上位2割の優良顧客に合わせて、あなたのビジネスを組み立て直す作業に入っていきます。<u>ターゲットに合わせてビジネスを最適化することで、残り8割のスペースも優良顧客で埋めていくことがゴール</u>になります。

　そのためには

> 1.優良顧客にドンピシャに突き刺さるメッセージで
> 　興味を持ってもらう
> -
> 2.この人なら自分が抱えている
> 　悩みや課題を解決してもらえそう!　と感じてもらう
> -
> 3.同時にあなたが望まない顧客からは興味を持たれず
> 　距離をおいてもらう

　これらすべてをクリアすることが条件になりますが、ビジネスをゼロから組み立て直すことはしません。手間と時間がそれなりにかかってしまいますからね。

　もちろんゼロからやるに越したことはないのですが、省けるものはどんどん省くのが、僕のコンサル方針。なのでここでも迷わず近道しちゃいましょう 笑。

> 早速、とっておきのショートカット方法を紹介していきます

オススメの近道：優良顧客に響く肩書に絞る（ポジショニング）

優良顧客に合わせてビジネスを組み立てるためのショートカット。それは**「あなたの肩書を絞り込む」**ことです。

実はこれをやるだけで、先程挙げた3つの条件を一気にクリアすることができます。ビジネスをゼロから組み立て直さずに肩書を変えるだけです。かんたんでしょ。

肩書を絞るためのオススメの方法は3つあります。

肩書を絞る3つの方法

1：優良顧客にウケているサービスに絞る

2：優良顧客が多い業界から絞る

3：ターゲットの習慣・商品の購入用途から絞る

どんな人に向いているか・どんなメリットがあるか、それぞれ少しづつ異なるので次節から具体的な導入事例を用いながら紹介していきます。

優良顧客にウケている
サービスに絞る

　もっともオーソドックスで成果を出しやすい肩書の作り方。シンプルに**上位2割の顧客に気に入られている「サービス」に絞った肩書にします。**基本的に上位2割に提供しているサービスは、あなたのBESTを活かしたものであることがほとんど。このBESTなサービスを求める顧客で、残り8割も満たしてしまいます。

この方法を実践するメリット

・優良顧客に**評価されているサービスなので需要がある**ことがすでに分かっている

・あなたの**BESTを活かしているので相手に価値を感じてもらいやすい**

・価値を感じてもらえているので**何よりも売れやすい**

優良顧客にウケているサービスに絞る方法

相談者の概要　業種：**Webデザイナー**　名前：真島さん

【抱えている悩み】

　早い・安い・うまい、まるで牛丼屋のような三拍子揃ったデザイナー、という評価を受けていて、下請けとしての依頼を多く獲得していた。

　人づての紹介からWebマーケティングで有名企業からも依頼が来るようになったが、365日のうち340日くらい働きまくるひとりブラック企業

状態。休んだら仕事が無くなりそうで立ち止まることができないうえに、忙しい割に利益が残らないという問題をずっと抱えていた。

| ヒアリング開始 | 相談者：真島さん 相談相手：中谷 |

 休日も含めてほぼ毎日働いているのですが、休んだら仕事が無くなりそうで立ち止まることができません……。

 それはしんどいですね。でも今は若いからいいけど、10年後もこのスタンスで仕事ができると思いますか？

 うーん、どうでしょう……難しいかも。でもこの状況って解消できるんですか？

 余裕で解消できますよ！

 本当ですか？？？
いろいろな勉強もしてますがイメージがつかないです 汗。

 真島さんって、なんで格安で仕事してるんですか？ Webマーケティングで有名な企業からも声がかかるくらいなのに。

 いや、最初からこの価格だったのでそのまま来たっていうか……

 僕だったら真島さんに3倍の費用払ってもお願いしたいけどなー。

それは中谷さんがマーケティングに詳しいからですよね?

 それですよ!

 どれですか?(きょろきょろ)

 真島さんのよさを分かってくれる人だけと仕事をしてください。そして単価を3倍にしましょう。

 いやいや! そんなことしたら仕事がかなり減っちゃいますよ……。

 願ったり叶ったりじゃないですか! 単価が3倍になって働く時間が3分の1になればかなりゆとりが出ますよね。

 えぇ。確かにそうだけど……。

こんな状態になったらBESTとGOODの仕分けが必要

あなたのBESTだけじゃなくGOODを活用したお客さんが増えはじめると、明確なサインが現れ始めます。

それは**お客さんの中でも好きな人と面倒だなと感じる人が明確に分かれてくること**。

たとえば、お客さんから電話が掛かってきたとき。名前を見て、すぐに出たいと感じる人と「うわぁ、出たくないなぁ」と感じる人がいる。こんな場面はありませんか?

それは、**あなたのBESTが発揮できるお客さんじゃない人が紛れているから**かもしれません。もしくはGOODしか提供できていないことでモチベーションが上がらないとか、思った成果が出ないとか、そんな理由があると思います。

では、あなたが仕事をしていてやりやすい!　手伝いたい!　と心から感じるお客さんってどんな人ですか?

おそらく……

・あなたのBESTを評価してくれている人
・あなたのBESTを必要としてくれている人
・あなたがBESTを気持ちよく提供できる人

こんな条件が揃っている人ですよね。あなたの体は1つ、使える時間だって限られてます。どうせ仕事をするならそんな人とだけやりたいものです。

だからもし「お客さんの好き嫌いが最近多いな……」と感じたなら、一度立ち止まってBESTとGOODを仕分けするタイミングです。

BESTに絞って専門性と権威性を確立する
かんたん3ステップ！

📝 ワークあります！

ステップ1：
自分の価値を分かってくれている上位2割の顧客をリストアップする

☐一緒に仕事をしていて楽しい
☐しっかりお金を払ってくれる
☐案件を紹介してくれる

　今いる顧客の中から、「あなたの事を高く評価してくれている上位2割」の顧客名を書き出してみましょう。目安として上記の項目に**2つ以上チェックが入れば、上位2割の顧客である可能性が高い**です。

ステップ2：
上位2割の顧客に特に多く依頼されているサービスを見つけ出す

　このステップでは、今までどんなサービスを提供したかを一社ずつ書き出してみましょう。きっと**共通で提供しているものがあるはず**です。

　そして、**それこそがあなたのBESTを活かしたサービスであり、上位2割の顧客に求められているサービス**といえます。

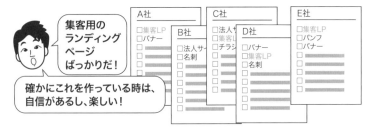

▌ステップ3：見つけ出したサービスを前面に押し出した肩書にする

　共通するサービスを見つけたらいよいよあなたの肩書を引き算する時です。ポイントは**あなたのBESTを活かしたサービスに専門特化する**こと。今までの肩書から思いっきり引き算したものに更新しましょう。

＼Web集客についての悩みを抱えている人にターゲットを引き算／

今まで	これから
なんでも頑張ります！の Webデザイナー	集客用LP専門の Webデザイナー

 これからは集客LP専門のWebデザイナーって自己紹介しよう！

お客さんには**"集客のランディングページ制作"**といえば **"真島さん"**と記憶されやすくなる

注釈※ランディングページとは

略してLP（エルピー）と言われることも多い。1つの商品について申し込み獲得や販売に特化した縦長のWebページ。Web広告をクリックしたり、QRコードを読み込んだ時に表示させることが多い。

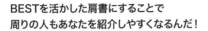

BESTを活かした肩書にすることで
周りの人もあなたを紹介しやすくなるんだ！

たとえばこんな感じ

はぁ〜
Web集客が
うまくいってないんだよねぇ。

ピッタリだ！

それなら、
集客LP制作が得意な人知ってるよ！

教えて
教えて！

え、そんな人いるの？
紹介して！

まとめ

実践したこと　自分の商品に価値を感じる顧客だけに仕事を絞った

・この施策にかかった費用：0円

・必要なスキル：クライアントを減らす度胸

その結果

・得意分野に絞ったのでお客さんにリスペクトしてもらえるようになった

・安売りをやめたことで売上が3倍に増えた

・働く時間が1/3に減り、プライベート時間もじっくり楽しむことができる
　ようになった

・顧客満足度が上がったので良質な紹介が激増した

優良顧客が
多い業界に絞る

　上位2割の顧客が属している「業界」に絞る方法です。現状の顧客が属する業界に偏りがある時は、ココを中心に肩書を絞っていきます。

　BESTを活かしたサービスだけじゃなく業界も絞ることで、より強固なポジションを狙うことができます。またこの絞り方は、参入障壁が高いと言われる業界ほどその効果は大きくなります。

▎この方法を実践するメリット

・ノウハウを体系化しやすいので**人に教えたり任せることができる**

・業界についての**知識が溜まりやすく競合と差をつけやすい**

・特化した業界での**成功事例が溜まりやすい**

> 他社が参入してきても充分に戦えるポジションを築きやすい！

事例から真似する！

優良顧客が多い業界に絞る方法

相談者の概要　業種：**ビジネスコーチ**　名前：中野さん

【抱えている悩み】

上場企業での営業経験とデザイン会社での広告制作の経験をもって独

立。集客や採用向けのコンサルティングから広告制作まで、幅広くサー

ビス展開。少しでも多く案件を獲得するためにターゲットを限定せず
GOODなスキルも活用し手広く活動。

しかしそれが原因で自分が何屋なのか？　周りに聞かれてもハッキリ答
えられずにいた。数少ない人脈からの紹介でなんとか食いつないでいた
けれど、自分独自の強みがどこにあるのかわからず現状の活動に限界を
感じ始めていた。

ヒアリング開始 ｜ 相談者：中野さん 　　相談相手：中谷

 自分の強みがわからなくて、これからどこに力を入れていけばいいのか
決められないんです……。

 あらら。強みが明確じゃないとずっと自分のビジネスに手応えがないで
すよね。

 そうなんです。周りはすごい人ばっかりで、自分が生き残っていけるか不
安しか無いです……。

 ではまず中野さんの強みから探ってみましょう。今ってどんな案件が多
いですか？

 いろいろやってますが、集客とか採用に悩んでるお客さんへのコンサルと
か広告制作が多いかな。

 ほぉ。確かに集客とか求人に悩んでる人が多いですよね。中野さんの
サービスにお客さんは満足されてますか？

 そう言われると、不安です……でも介護業界なんかは人材不足がひど
いので、応募が増えると感謝されますね。

でも介護業界って専門用語とかいろいろあるから求人のお手伝いっていっても難しくないですか?

たしかに最初はそうでしたよ。でも何件もやってるうちに気がついたらわかるようになりました 笑。

へー。やっぱり専門用語とか業界の知識があった方が求人とか集客の成果って出しやすいですか?

そりゃそうですよ! 業界の知識が増えれば求職者も法人の気持ちもわかるようになりますからね。

えーっと。今回の悩みって何でしたっけ?
確か自分の強みがわからないとかだったような。

はい。自分の強みがわからなくて、毎日不安が消えないです 汗。
どうしたらいいですか?

それ本気で言ってます? いま自分で答え言ってましたけど……?

え、僕なんて言ってました???

介護施設に特化した採用コンサルでしょ?

自分の強みが見つからないと狙いが定まらない

　自分の強みって自分ではわからないことが多いんですよね。それもそのはずです。だって、そもそも**強みというのは自分じゃなくて、周りが決めるもの。**

あ、この人は他の人よりも話を聞いてくれるな

この人は自分たちでも
気付かなかった強みを見つけてくれるな

　みたいな感じで、周りの人が勝手にあなたを比較しているわけです。だから自分では「僕の強みは○○だー」なんて思っていても、実は周りはその点については特に何も感じていないなんてこと普通にあります 笑。

だからなんですよね、
自分で強みを見つけるのがやりづらいのって

優良顧客の中でも特に需要が多い業界に絞る

　強みの見つけ方でオススメなのが、周りの評価から特定するやり方。
　強みは相手が判断することなので、もし**特定の人から繰り返し評価されるようなこと**があるのなら、そこには十中八九あなたの強みがあります！

　だから、もし上位2割の顧客が特定の業界に偏っていたり、その方たちから似たような評価を頂いているのなら、この絞り方はとても効果的です。

これって見方を変えると、**特定の業界の人が抱える悩みに対して、あなたのBESTが超効果的**ってことです。つまりそれって高く評価されている点なので、**突出した強み**ということになります。

このように、求められている業界に絞ることで独自のポジションを築ける可能性はグンと上がります。

BESTを活かした業界に絞る かんたん2ステップ！

ここまでくれば業界を絞ってもその精度は充分高いです。でも本当にその業界に絞っても大丈夫か？　念には念を押しておきましょう。作業はかんたんなんです。次の**2つの条件を満たしているかを確認**するだけ。

> 本当に介護施設に特化した採用コンサルタントで行けるかな？ 🤔

ステップ1：業界の市場規模が十分にあるか確認する

自分の商圏エリアにどのくらいターゲットとなる企業や人が存在するかを調べます。調べるといっても、交差点でカチカチ交通量を調べたりとか、そんな作業は必要ありません。

ご存知の通り、ネットで検索すれば大概の情報はすぐに出てきますよね。たとえば「全国 介護 法人数」なんかで検索すれば、すぐに欲しい答えを教えてくれます。なんて便利な時代！

> 全国で22万件もあるのか。結構多いな

ステップ2：
自分のBESTを活かせるターゲットが充分にいるか確認する

　あなたのBESTなサービスを「欲しい」と感じる見込み客の数が充分に存在するかを確認します。たとえば、全国で業界の企業数が5万件あったとしても、その全員がターゲットになるケースは稀です。

　この場合は、上位2割の顧客と条件が類似するように、<u>法人規模・地域・事業形態などでフィルターを掛ける</u>のがおすすめ。このあたりまでなら、同じようにネットですぐに調べられるので、やってしまいましょう。

充分かどうかの判断方法

　何をもって十分とするかは、業界やあなたが提供できるサービスの数や内容にもよりますが、大まかな目安として、下記のAがBを上回っていればOKです。

A：絞り込んだ法人（個人）の数の3%（現実的にシェアが取れそうな割合）
B：毎月受注したい数x60（5年間で必要な顧客数の目安）

上位2割のお客さんと類似する法人は3,000社。だから<u>Aは90社</u>か。毎月1件の受注で充分だから、<u>Bは60</u>。Aのほうが多いから、この肩書に絞っても充分やっていけそうだ！

こんなかんたんな式で大丈夫なの？　って思うかもしれ
ませんが、今はこれで十分です。

「5年間で必要な顧客数ということは5年しか業界で生き
られないの？」そんなことはありません。これにはちゃんとワ
ケがあります。

あなたがターゲットに提供できるサービスって1つじゃないと思います。そして
BESTなサービスが提供でき、満足度の高い顧客からの依頼が1回きり、というこ
ともあまり無い。むしろ**満足度が高ければ、紹介を受ける機会も増えていきます。**

そんな理由で実際には、もっと多くの案件を受けることになります。ということは
5年どころか10年分近い見込み顧客が存在しているといえます。

まとめ

| 実践したこと | **BESTなサービスについてすでに需要がある業界に絞った** |

・この施策にかかった費用：0円
・必要なスキル：ネットで検索するスキル

その結果

・得意なことに絞るだけで半自動的に売上倍増
・ターゲットを細かく絞り込むことができたので、紹介案件を狙って増や
　せるようになった
・どんどん業界での成功事例がたまり、知名度が上がり独自の地位を確立
・5年で売上が30倍に成長

商品の購入用途から ターゲットを絞る

　優良顧客が2:8のようにキレイに分かれていない人にオススメの方法。まだ充分に顧客の数が溜まっていなかったり、「優良顧客どころか面倒な顧客しかいませんけど」なんて方にもピッタリです。

　業種としては全ジャンル対応可、ではありますが、<u>卸売り・小売・ECサイト運営などの物販系に、特に効果的</u>です。

▍この方法を実践するメリット

- ・自分では気づかなかった新たな商品の価値をみつけやすい
- ・ゲームチェンジになる独自のポジションを確立できる
- ・日用品など大手が独占しているレッドオーシャンでも参入が可能になる

これから優良顧客を生み出したい人はこの方法がオススメ！

事例から真似する！

商品の購入用途からターゲットを絞り直す方法

相談者の概要 ▶ 業種：**高級メンズ下着屋**　名前：桜木さん

【抱えている悩み】

　男性用高級パンツを研究し、最高のメンズパンツと自負する商品を開発。

さっそくネットで販売を始めるも、期待に反して月数万円しか売れず。品質にこだわった結果、原材料費が想定以上に高くなり、自ずと商品価格も高額にせざるを得なくなってしまう。それがネックになり、2年経ってもほとんど売れない状態を継続中。どんなに品質が良くても、手にも取ってもらえず、当然価値も伝わらない。そんな状態で途方に暮れていた。

| ヒアリング開始 | 相談者：桜木さん | 相談相手：中谷 |

 こんな商品作ったんですがなかなか売るのが難しくて。
どーしたらいいのかと思いまして……。

 そうなんですね。今はどうやって販売されているんですか？

 ネットではほとんど売れないので、今は知り合いの経営者にアポイントを取って、1枚1枚手売りしているんです。

 なので、一日1・2枚しか販売できてなくて……。

 それはなかなか大変ですね。
いままで他の人に相談しなかったんですか？

 もちろんいろいろな人と話しましたよ！
でも、解決策が出てこないんですよ……。

 そーなんですね？
これいくらするんですか？

7,000円です！

 な、7,000円？？　高すぎませんか？
今時、海外ブランドでも3・4千円ですよ！

 やっぱりこだわり持って作っているのでかなり原価も高いんですよ。
パンツというのは、昔でいうフンドシなんです。

 戦う漢のためのパンツなんです！
男ではなく漢、漢字の漢ってほうのやつです。わかります？

 いや、そういうのが好きな人は一定数いますが、
それでもマーケットが小さすぎますって。

 えぇ。一生懸命作ったのに……（ちょっとやけくそに）じゃあ、肌触りが気持ちいいから、いっそ女性に売りますか！

 それです！！　女性に売りましょう！

 マジですか？　どうやってですか？

 プレゼント用ですよ。自分で買う下着としては7,000円はやっぱり高すぎですが、プレゼントで7,000円はちょうどいいと思います！

無いニーズに当ててはいけない
相手の習慣を変える事はとても難しい

ちょっと想像してみてください。いわゆる日用品って、どんなものを買いますか？
品質の良さももちろん大事。だけど、やっぱり値段って見ちゃいますよね？

継続的に、買い足したり買い替えたりするものだからこそ、安くていいものが基本。そういうカテゴリの商品に対して、僕たち消費者は財布の紐がゆるむことって少ないんです。

ココが重要ポイント！

人の習慣を変えることはとてもとても難しい

だから、安いことが前提条件となっている商品カテゴリに、今回みたいに高額な商品で参入しても、ヒットさせるのは難易度MAXというわけです。

このように、**起業スタートアップ時期に相手の習慣を変えるような売り方でトライするのはおすすめしません。**

財布をゆるめる習慣がある市場に乗り換える

ではどうすればいいのか？ もちろん今回も方法があります。
キーワードは『習慣』。

習慣を変えるのは難しい。ならばここは「**高いお金を払う習慣が元からある分野**」を見つければいいのです。そのほうが効果抜群です！

今回もたった2つの手順で、そんな習慣がある分野を見つけて、それをもとに**独自の肩書**を作ります。

相手の習慣からあなた独自の肩書を見つける
かんたん2ステップ！

今回着目するのは商品の購入用途です。彼ら彼女らが、どんな時にお財布を開いているのか？　そこから突破口を絞り込んでいきます。

ステップ1
すでに人がお金を使う習慣があって、なおかつあなたの商品が
参入できそうなジャンルを探す

僕たちはほぼ毎日お金を使いますが、使うジャンルというのは意外と固定されているもの。日々の食費、日用品などのジャンルから、書籍、ゲーム、給料日後の高級なお食事など、趣味やご褒美系のジャンルまで。そのジャンルを洗い出して、あなたの商品と相性がよさそうなものが無いか探してみます。

女性が財布の紐がゆるくなる時ってどんな時だ？
しかも高級メンズパンツと関係しそうな場面といえば……

あ。男性にプレゼントを買う時。　プレゼントなら最低5,000円くらい払うって聞いたことあるな。
てことは「日用品のパンツ」というジャンルから「プレゼント用」に市場を変えるのがいいかも！

ステップ2
その習慣に合わせて商品名やキャッチコピーを変更する

相手の習慣に合わせて、商品の見せ方を変える。それは、市場を変える。ということに繋がります。

市場が変わったのに商品名やキャッチコピーはそのまま。それでは、ターゲットの心に響かない可能性が高くなりますよね。相手の習慣に合わせて見せ方を変え、それをもとにあなた独自の肩書を手に入れましょう。

プレゼント用なんだから、
今までの「戦う漢のふんどし」じゃだめだな……
そうだ「女性がプレゼントに選ぶ高級メンズ下着」
で行こう！

まとめ

| 実践したこと | 競合他社が狙っていない市場にゲームチェンジした |

・この施策にかかった費用：0円
・必要なスキル：ターゲットの習慣について書き出す時間

その結果

・大手百貨店のオンラインショップでの全売上のうち40％のシェアを獲得
・2ヶ月掛けて作った在庫商品がたった3時間で完売
・売上が数ヶ月で3倍、その後3年で10倍

名刺の内容を引き算するだけでも売上が上がる！

ポジショニングができあがれば名刺の引き算はかんたんにできる

第1章の冒頭で、名刺の情報を引き算した話を覚えていますか？　サービス名や肩書を引き算する、たったそれだけで売上が上向きになるというあのエピソード。

「たまたまうまくいった話を載せただけで、再現性ないんじゃないの？」

そんな風に思っている人もいるかもしれませんが、そうではありません。

実はあの事例、第2章で学んだ「ターゲットの絞り込み」と「独自のポジショニング」が明確になれば、だれでも実践できるようになります。

<u>とてもかんたんでコストがほぼかからず、なおかつ効果が高い引き算手法</u>なので、もう少し掘り下げてみましょう。

名刺を引き算することで売上があがるカラクリ

名刺の情報を変えただけでどうして売上が上がるのか？　これにはちゃんと理屈があります。

> 1. 自己紹介をする際に迷わずに
> 　ズバッと自分をアピールすることができる

> 2. 相手の心に響くので、
> 　名刺を渡しただけで具合的な話に入りやすい

> 3. ポジションが明確になると相手に覚えてもらえるので、
> 　紹介をもらいやすくなる

このような現象が順番に起きるので、結果的に売上が上がるというカラクリです。要はあなた独自のポジショニングを明確にすることで、**相手が名刺交換時に感じる「この人は何の人って覚えればいいの？」という無意識の疑問を一瞬でクリアできる**ということ。

さらにもう一つ嬉しいことが。それは同業者からの紹介が増えること。専門に特化することで、「同業者が苦手な分野の案件があった場合、あなたに紹介してもらう（お礼として手数料を支払う）」、といった仕組みが作りやすくなります。**競合でもあるのに、パートナーでもある**という不思議な関係を構築できちゃうわけです。だから**独自のポジショニングを名刺に落とし込むことが成功の鍵**となります。

具体的な肩書の引き算方法

　では、どうすれば独自のポジショニングを名刺に落とし込むことができるようになるのか？　第2章で説明したとおり、一点突破するために

業界に
特化する

特定の
サービスに
特化する

相手の悩みに
特化する

　これらの中で、**あなたのBESTを基準に引き算していけばOK**です。そうすれば、一般的な「それっぽい肩書」ではなく「**ターゲットにだけ響く肩書**」ができあがります。

事例で見る名刺の引き算効果

事例1　業種：**パーソナルトレーナー**

【抱えている悩み】
　売上は安定しているものの、今やっている仕事にだんだん情熱がなくなってきた。惰性でも稼げる状態になっていることが余計にモチベーションが上がらない原因になっている

絞り込みのヒント
　かつてバスケット選手を目指していた時、怪我をサポートしてくれたのがトレーナーだった。「選手としては難しいけれど、トレーナーとしてなら一流になれるかも」と思ったのが起業の動機

引き算したもの
　バスケット選手のトレーナーをするときだけは、唯一情熱が湧きあがることに気づいた。やりがいと売上を両立することを目指し、思い切って「バスケットボール専門　パーソナルトレーナー」に肩書を絞った

効果

売上が1年で4倍にアップ
口コミが回り回って、トレーナーとして、世界最高峰バスケットボールリーグ・NBAチームの合宿に帯同するまでに

事例2　業種：**食品卸会社**

【抱えている悩み】

　会社の業績はいいが、新規の営業が頭打ちで成績がなかなか伸びない。競合と比べても提供できる商品は同じなので、ラインナップの差も作れない。

絞り込みのヒント

　ラーメン屋からの食材に対する要望が細かく、その都度、新しい取り扱い商品を増やす必要があった

引き算したもの

　客観的に見てみたら、倉庫にはラーメン屋関連の食材エリアがどんどん増えていることに気づいた。「ラーメン専門の食品卸会社」と肩書を変え、ターゲットを絞った

効果

肩書を変えた翌月から、新規客の獲得率が4倍に上昇

事例3　業種：**有料職業紹介業**

【抱えている悩み】

　会社規模はどんどん大きくなっているが、競合が多く、広告の費用対効果が下がってきている。営業スタッフも増やし、足を使って新規獲得を狙うが、同じように費用対効果が悪い。

絞り込みのヒント

　過去の契約事例を洗い出し、全体での費用対効果ではなく職種やエリア毎に集計してみた

引き算したもの

　事務職系の職業紹介だけ広告・オペレーションコストが低く実現できていることに気づき、「事務職専門の人材紹介サービス」に特化した

効果

必要なスタッフが1/3になり利益も拡大

新しく肩書を作るのではなく、
今ある情報から余計なモノを取り去るイメージ。
そうすることで相手の心に刺さる名刺ができあがるよ

第3章

情報モリモリの
Webサイトを引き算する

売れないWebサイトは無駄な足し算の巣窟

逆効果なのにやってしまう……Webサイトは足し算の巣窟

　まずはココまでのおさらいです。ひとり社長にとっては売上を安定させるために「やるべきこと」や「情報を足し算すること」は逆に成功から遠ざかってしまう、というお話をしました。

　この第3章でとりあげる「Webサイト」、実は無駄な足し算がメチャクチャ多いんです。理由はとても単純。**とにかく足し算しやすい条件がそろっているからです。**

▍Webサイトの特徴

・スペースに制限がない
・ページの数にも制限がない
・ページやセクションによってデザインを変えやすい
・修正をする際も、紙媒体と違って
　全部刷り直しなんてリスクがない

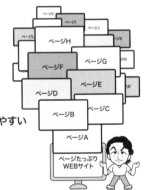

　これらはWebサイトならではの特徴です。もちろんユニークな強みではあるのですが、同時に足し算が無限にできてしまう危険性もはらんでいます。どうですか？あなたも「とりあえず入れちゃえ！」と情報をモリモリにしてしまった経験、ありませんか？

Webサイト制作あるある！　足し算だらけの打ち合わせ

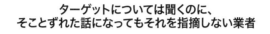

ターゲットについては聞くのに、
そことずれた話になってもそれを指摘しない業者

Webサイトを作って
ウチの商品を知って
もらおう！

社長

ある日の午後

任せてください！
ターゲットは
誰になりますか？

制作業者A

えーっと。誰というか、**基本は30~50代の人
たち**だけど、どうせ作るなら**それ以外の人向
けの商品もできるだけたくさん載せたい！**

なるほど。では、載せる情報に関する資料を
まとめてくださいね。

ん。待てよ。今度新しいサー
ビスが出るからそれも載せ
ておいたほうがいいな！

うん
うん

あ、わかりました。
ページがたくさん
になりますね。
頑張ります！

そしてできあがるのが、社長の想い全部のせの

全部入りです
頑張りました

新サービス始まる！

オススメ A商品	人気 B商品	売れ筋 C商品

高レビュー商品特集

おー
全部入ってるね

「こってりWebサイト」。

しかしこのサイト、集客という目的からみると、おもいっ
きり逆効果。「ん？　これってなんのサイトなの？　「自分が
欲しい情報があるのかもわからん……」こんな感じで読み
手を混乱させて終わりです。

わかりづらいなぁ……

「自分ではスキルもないから、サイト制作は外部にお願いしよう」……そんな経営者の方も多いと思います。しかし、ここで要注意なのが「クライアントであるあなたの要望を実現することがWeb制作会社の仕事なので、**ターゲットのことまで考えてくれる制作会社さんは多くはない**」ということです。

あくまでも形式的にターゲットについてヒアリングされることはありますが、Webサイトの内容がターゲットとずれていったとしても、そこを注意してくれることは少ないんですよね。この現状も、ターゲットの反応が得られないサイトがたくさん存在する原因の1つとしてあります。

なんとなくWebサイトを作っても1円も生みません

今やほとんどの法人が、法人サイト・求人サイト・ブログサイト・ランディングページなど、何かしらのWebページを所有しています。そして多くの経営者さんは「Webサイトを作れば何かしら反応が得られるだろう」などといった、漠然としたイメージを持っていると思います。

しかし、Webサイトをうまく活用して、問い合わせや売上に繋げている法人は、これだけ普及している今でも、意外に多くありません。

▌実際にWebサイトを作って公開してみたら……

・全然問い合わせが増えない

・商品が売れない

・見られているのかすら怪しい

なんでだー!!

こんな状態に陥っている人がほとんどではないでしょうか。Webサイトはうまくいけば「眠らない・疲れない営業マン」として活躍してくれるのではないか？　そんなイメージを持っていた人にとってはがっかりもいいところですよね。

また、ひとり社長さん側も、Webサイトを作っただけで満足してしまい、その効果についてはあまり考えていない人も多いです。

でもそれ、めちゃくちゃもったいないです！　Webサイトの活用で売上を獲得していくことは不可能ではありません。ただしく「引き算」していけば、Webサイトはまさに「眠らない営業マン」として、事業に貢献してくれます。

同時にサイトづくりでやってはいけない注意点もあります。実現するためには満たすべき条件が存在するのです。

これらのポイントをしっかり押さえておけば、
あなたのサイトを生まれ変わらせることができます

目線を変えて心に響くサイトをつくる

そもそもWebサイト制作は多くのひとり社長にとって、そこそこ大きなプロジェクトです。「コレがうまくいけば問い合わせが増えるかも！」って期待して作るわけですから、気合十分で挑んで当然です。

だからこそ「載せられるものは全部載せておきたい」という気持ちが働くのも自然な流れではあります。しかし読み手目線で考えると、情報が多いほど自分が欲しい情報が見つけられなくなってしまいます。**読み手に目線を変えて、相手の心に響く構成やデザインにする**必要があります。

Webサイトを作る工程は外注でも、サイトに載せる情報そのものは、依頼するあなたが準備しますよね。第3章では、その情報の絞り方を中心に、ノウハウをお伝えします。

効果的な相手目線の取り入れ方は恋愛と同じ

「相手目線」って何？広告作成の重要キーワードを明確化させる

相手の気持ちになって考えましょう！　なんて言葉はマーケティングに限らず子供のときから言われたことがありますよね。特に揉めたり喧嘩したりと、相手と対立している時に先生から言われることが多かった記憶がありませんか？

つまり信頼されていなかったり、警戒されているような関係性の時。「相手目線になる」という行動がその距離を縮める特効薬になるという意味でもあります。

これって広告作成やマーケティングの時にもそのまま当てはまる考え方ですよね？

今回の重要キーワードでもある「相手目線」という言葉。もちろん意味はある程度イメージできると思います。しかしながら今後あなたが効果的な引き算マーケティングを続けていく時に、そしてその施策がうまくいかなかった時に、**必ずと言っていいほどこの「相手目線」という言葉に立ち返る**ことになります。

魅力的な広告だったり、自然と優良顧客が集まるマーケティングの仕組みを作る時も**「相手目線」という考え方が必要不可欠**です。

そのくらい今後仲良くしないといけないキーワードなので、<u>具体的にどんな準備をすれば「相手目線」の広告を作ることができるのか？</u>　あなたと共有しておきたいと思います。

広告はすべてコミュニケーションツール

結構忘れがちですが、広告はすべてコミュニケーションツールです。とはいっても、広告はこちらから一方的に発信するものでもあるので、ぴんとこない人も多いかもしれません。

しかし優秀な広告であればあるほど、広告を通してターゲットである相手とコミュニケーションをしていますし、相手の心をグワッと鷲掴みにして具体的な行動を取らせることができています。

言ってみれば広告というのはコチラからターゲットに発する第一声、最初のメッセージみたいなものです。そして、この第一声で相手の心を動かせないとそこでコミュニケーション終了というわけです。だからこの第一声をどんなものにするかはメチャクチャ重要。そう言われるとなんとなくイメージできますよね。余計なことを言っている暇はなく、なにかズバッと相手に刺さるメッセージが必要だって。

第一声の作り方は恋愛と同じ

では、具体的な第一声をどう組み立てていくのか？　イメージがし易いと思いますので、普段の生活から例を紹介します。そうですね、恋愛の場面を想像してもらえるとわかりやすいと思います。

あなたに気になる人がいたとします。そして第一歩目として食事に誘いたいと思っている。なんとしても成功させるためには相手の心に響く誘い文句が必要ですよね。さて、どんな風にアプローチしますか？

おそらく相手の事を何も調べずに、「ねぇ、一緒にお茶しなーい？」なんて、いきなり声をかけるなんて暴挙はしないですよね。きっと、事前にこんな事をさり気なく聞き出すはずです。

アクションとか好きそうやけど、ホンマはどんな映画好きなん？

休みの日って何をしている時が一番楽しいん？

残りの人生でこれしか食べたらあかんって言われたら何を選ぶ？

そこで「私、イタリアンが好き。ワインも結構好きなんだよね」という情報をゲットできたらどうでしょう？ 誘い文句のキーワードが出揃ってきますよね。

ソムリエがいる美味しいイタリアンのお店があって、そこ夜景もメチャクチャきれいなんだけど、一緒に行けへん？

こんな風に事前情報をもとに誘うことでOKを貰える可能性はだいぶ上がりますよね？ でも、相手の好みも何も調べずに

「俺こってりラーメン好きなんだけど、こんど一緒に行こうよ！」

とかブスな誘いかたをすれば、たまたま相手がこってりラーメンが好きでもない限り「いや私べつに行きたくないんだけど……（ていうかコイツ何なの？ キモい）」って大きくマイナス評価になっちゃいます。

ほとんどの人が恋愛ではやっているはずのリサーチをもとにしたコミュニケーション。なのに集客の話になるとなぜか忘れてしまいがちなんです。こってりラーメンでゴリ押すみたいに、**自分が伝えたい情報だけを発信してしまう**のです。

というわけで、こんなブスWebサイトはすぐ離脱されます。

・知りたい情報がパッと見た時点で見つけられない
・類似サービスとの違いがわからない
・閲覧してもじっくり読み込まないと何が言いたいのか分からない
・どこになんのボタンがあるのかわからない

　こうやって文字にすると当たり前のことが書いてありますよね。でも悲しいかな、この項目をパスしているサイトは意外に少ないです。あなたが伝えたいことじゃなく、**相手が知りたいことをリサーチしてそこから逆算してメッセージを作ることが大事**です。

5つの質問でできる！
かんたんターゲットリサーチ

ターゲットがWebサイトを通して知りたいこと

　ターゲットへのリサーチが、Webサイトづくりにはどれだけ重要であるか、ということは理解してもらえたかと思います。でも、「リサーチ」なんて言われると、「リサーチだけでもいっぱい本があるし、難しそう」「前にやり方を学んだことがあったけど、うまくできなかった……」と不安になってしまう方もいるかもしれません。

　でも、心配はご無用です。**引き算マーケティングは難しくない・手間がかからないのが特徴**。もちろんこのリサーチも例外ではありません。まずは最初の一歩として、とてもかんたんにターゲットリサーチを実行する方法をお伝えします。

忘れちゃいけない、リサーチをする目的

　具体的なやり方に入る前に、このリサーチの目的（ゴール）をおさらいしておきましょう。目的を忘れてリサーチを始めてしまうと、どれが大事な情報でどれがスルーしてもいい情報なのか？　がわからなくなってしまいますからね。
　ターゲットリサーチの目的は、

Webサイトで相手の心を一瞬で
鷲掴みにするための情報を集めること

ここ、忘れないでくださいね！

▌Webサイトを訪れた人は
こんな不安や期待を持ちながら情報を探しています

・この人（サイト）はどんな人なのか？
・自分に関係がありそうなのか？
・関わると幸せになれそうか？
・自分とウマが合いそうか？

　まさに普段の人付き合いと同じですよね。ターゲットリサーチを通して、このあたりの疑問を払拭し、Webサイトを訪れた人の期待を最大限に高めるには、どんなメッセージにすればいいのか、そのための情報を手に入れていきましょう。

やり方はかんたん！　リサーチシートにそって進めるだけ

📝 ワークあります！

　実際に僕の会社でターゲットリサーチをする際は、テンプレート化されたリサーチシートを活用しています。そのシートを活用することでだれでも精度が高いリサーチができるようになっています。

　今回は僕たちが実際に使っているリサーチシートから特に効果的で重要な5つの質問項目を抜粋して紹介します。

■ リサーチをスムーズに進めるためのコツ

　精度の高い情報を相手から手に入れるには、以下5つのポイントがあります。

インタビュー形式で行う（最初はインタビューだけでOK！）

一口に「ターゲットリサーチ」といっても、競合製品を分析したり、口コミで使われている言葉の傾向を探ったり、優良顧客・潜在顧客へのインタビューを実施したり、など、やり方はさまざまです。その中で私が**おすすめするのは、「1対1で、優良顧客へのオンラインインタビューを行う」こと**です。それだけでも十二分に、Webサイトを引き算するための情報を集めることは可能です。

ただし！　質問に答えてもらう際に、「記入式のアンケート」方式で実施するのはNG。記入式だと、表層的な答えしか書いてくれなかった場合に、その場で深堀りしていくことが難しくなってしまうからです。

「いいことばかり言わなくていい」と伝える

インタビューされると相手はどうしても「どう答えてほしいのかな？」「正解の回答はなんだろう？」と考えてしまいがちです。そうなると、本当の情報が手に入らなくなります。**以下のような言葉を最初にかけておくことで「ネガティブなことも言って大丈夫なんだ」と感じてもらえる**ようにしましょう。

> 例）
> **「このインタビューは、お客様に私たちの事を包み隠さずお伝えするために企画しています。ぜひいいことばかりでなく、忌憚のない意見を聞かせてください。また原稿は、あらかじめご覧になって、気に入らないところがあれば削除もできます」**

ネガティブな意見が少し入るぐらいのほうが
真実味が増します！

最初の回答は抽象的になりやすいものです。そこで相手の答えに対して<u>どんどん突っ込んでみてください</u>。より具体的な情報が得られるようになるだけじゃなく、**相手も話しやすい環境を作ることができます。**

ポイント④ エピソード・ストーリーを重視する

<u>人は具体的なエピソードやストーリーに感情移入をしやすい傾向があります。</u>そのため、準備段階のインタビューでも、具体的な話を聞きだす必要があります。

インタビューする時は「よかった」とか「うまくいかなかった」などの端的な言葉を引き出して終わり。ではなく「そう感じたきっかけ」や「前後のエピソード」などを聞き出してください。場合によっては、そのエピソードを語る時に**出てきたフレーズがそのままWebサイトのキャッチコピーとして使える**、なんてこともあります！

> 例）
> ●「日常生活では、たとえばどんな場面でお使いいただけているのでしょうか？」
> ●「いまあげていただいたことのほか、感じてくださっているメリットはありますか？」
> ●「今のお話、もう少しくわしく教えてください！」

ポイント⑤ 文字起こしは後回しにする

インタビューに慣れていないと、「記録を取るのに必死で、話の内容は分からないまま、急いで書いた意味不明なメモだけが後に残る」……なんて、悲惨なことになりがちです。

ボイスレコーダーで録音しておけば、文字起こしは後回しにできます。**とにかく聞くことに集中**しましょう！

その際、録音していることは相手に必ず伝えるようにしましょう！

インタビューで聞くべきはたったの5つ

私の経験上、以下の5つの質問を押さえておけば、いいインタビューになる確率が高いです。

Q1 この商品を買う前に悩んでいたことや欲求は何ですか？

人は「今抱えている問題解決のため」か「何かをしたい！　という欲求のため」のどちらかで消費活動を行います。まずは、**どんな感情がきっかけであなたの商品を購入するに至ったのか？**　重要な起点を聞き出しましょう。

Q2 過去、その悩みを改善するためや欲求を満たすためにどんな商品を購入していましたか？

ターゲットから見たあなたの競合となるサービスを知ることができます。

ターゲットはいろんな商品やサービスを試したうえで、あなたの商品やサービスに出会っている可能性があります。これは見方を変えると、あなたの商品を知る前に競合の商品に出会っているとも言えますよね。じゃあ、その商品はどうやって見つけたんでしょうか？　これを聞き出すと**あなたの商品の新たな告知方法を見つけることもできる**かもしれません。

Q3 最終的に弊社の商品を選んでいただいた決め手は何でしょうか？

あなたの商品にたどり着いたということは、競合の商品では問題解決に至らなかった可能性が高いです。料金が高い、距離が遠い、使いづらい、対応が悪いなど、何かしらの要素を比較して、あなたの商品を選んでいるはずです。

この要素を聞き出すことができれば、**あなたの商品の強み・魅力を知ることができます。**

Q4 この商品を購入いただいてどんな変化がありましたか？ また、その変化によってどんなお金や時間の使い方をするようになりましたか？

実際に感じることができた効果・結果を聞き出します。この情報を手に入れると、あなたの商品・サービスは、「〇〇な悩みを持つ人を△△な状態にすることができます」というように、**簡潔に魅力を紹介できる**ようになります。

Q1の回答が「スタート」の状態だとしたら、このQ4の回答は「ゴール」の状態ともいえます。

Q5 もしこの商品を他の人に薦めるとしたら、だれに何と伝えますか？

この回答も、内容によっては**そのまま「キャッチコピー」に使えたり「お客様の声の見出し」に使えたり**と、強力な情報になります。

ただしこの質問は、ユーザーさんのほうが変にコピーっぽさを意識するあまり、表層的な答えが返ってきてしまうこともあります。その場合は、「そのご説明で『〇〇の場合はどうするの？』など質問された場合は、なんてお答えしますか？」など、さらに掘り下げてみるのもおすすめです。

> ただし、リサーチで出てきた言葉が、本当にターゲット層に刺さるかどうかの判断は、ちゃんと自分で考えるようにしましょう！

相手の心に響くWebサイトは 3つの情報から絞り込むべし

ターゲットについての情報を ある程度把握することができましたか?

必要な情報を集めることができたら、あとは**情報を活用して、Webサイトに掲載する情報を引き算するだけ**です。今回もあなたの属しているマーケットや環境にあわせて、おすすめの絞り込み方を3つ紹介します。

これから紹介するWebサイト情報の絞り込み方は、3つともほぼすべてのビジネスに適応可能です。ですが今回は、あなたがチョイスしやすいように、特にどんなビジネスの人におすすめか? そんな情報も一緒に付け加えておきました。

ココで概要を紹介しますので、自分が該当する方法から試してみるとやりやすいと思います。

1.ターゲットが知りたい情報で絞り込む

こんなビジネスの方におすすめ

- ☐ ターゲットの解決したい悩みが明確な場合
- ☐ 具体的な悩みを入力して検索する場合
- ☐ 望まないお客さんが多い場合

2.あなたのBESTなサービスで絞り込む

（こんなビジネスの方におすすめ）

☐ 競合が増えて競争が激化している業界

☐ 顧客が選べるプランやメニューが多い業界

☐ 競合他社に比べて自社の商品メニューが少ない場合

3.自分のキャラクターで絞り込む

（こんなビジネスの方におすすめ）

☐ コーチ・コンサル・カウンセラー・先生やサロン系などターゲット
と直接対面して一定期間伴走するようなサービス形態の方

☐ 特徴的な性格で特定のターゲットとしか仲良くできない

「あれ？　これって2章でやっていることと実質同じじゃない」と思う方もいるか
もしれません。それ、実はその通りです。

2章でやっていることは、実は、「相手目線」で考えるということにほかなりませ
ん。そして「相手目線」で考え引き算していくことは、引き算する対象がなんであっ
ても、やること自体はまったく変わらないんです。

あなたのビジネスはどこに当てはまる？
複数当てはまるなら、
使える絞り込み方もたくさんあるってこと！

ターゲットが
知りたい情報で絞り込む

ターゲットリサーチで得た情報をもっともストレートに活用できる方法です。相手が抱える悩みの解決や、叶えたい欲求が何かを把握して、そこにドンピシャに響くメッセージに絞り込みます。

今までのような広く浅いメッセージから、ターゲットを絞り込んで**相手が知りたい情報を掲載するので、行動を起こしてもらいやすくなります。**

<hr />

こんなビジネスの方におすすめ

- [ ] ターゲットの解決したい悩みが明確であなた自身もそれを
  把握している
- [ ] ターゲットが具体的な悩みや欲求を入力してWeb検索をしている
- [ ] 現状、理想の顧客よりも苦手だったり望まないお客さんの方が多い

<hr />

相談者の概要　業種：**オーダースーツ屋**　名前：高田さん

【抱えている悩み】

顧客単価は7万円程度でオーダーメイド業としては悪くないが、店舗の

立地が駅から徒歩20分と遠く、集客が思うようにいっていない。かっこ

いいホームページを作ってみたが、アクセス数は伸びるもののお客さん

の実数そのものには反映されない状況が続いている。結果、いつまで

経ってもお金が溜まっていかない。立地の関係で大量集客が難しいな

ら、せめて顧客単価を上げたいと考えている。

ヒアリング開始　　相談者：高田さん　　相談相手：中谷

ホームページを作って集客はできているのですが、
実は利益があんまり出てないんですよね。

あらら、それは大変ですね。
ちょっとページ見せてもらってもいいですか？

もちろんです。えっと。コレですね。ポチ。

おぉ、かっこいいサイトですね。客単価は確か7万円くらいでしたよね。
それって業界では普通じゃないんですか？

そうなんですけど、ウチはお店が駅から徒歩20分で大量集客も難しい
ので、客単価だけでも20万円くらいに上げたいなって。

へー。そんな高いスーツを作る人なんているんですか？
今時、3、4万円で作れるオーダースーツもありますよね？

それは生地とか色々違いますからね……（完全に不機嫌そうな顔）
うちでも高額スーツ作ってくれる人が何名かいるんですよ。

なるほど。それってどんな人ですか？

経営コンサル会社の社長、お医者さん、歯医者さん、大学の教授、あとはプロのスポーツ選手とか。

 結構お金持ってそうな人たちですね。
どんな理由で高額スーツを買うんですか?

 交流会とか学会とかで恥をかかないように、品がいい印象を与えたいみたいです。

 なるほどー。
そういうことですね。なら、おそらく客単価20万円にできますね。

 え? ほんとですか? 今の話のどこでそう思ったんですか?

 このサイトデザインとターゲットのニーズですよ。

カッコいいだけのWebサイトは売れない!?

　今回目に入ってきたのは、デザインにお金を掛けたことがすぐに分かるくらいのカッコいいWebサイト。おそらく写真撮影の段階から力をいれている力作。でも実は「ぱっと見カッコいい」というだけでは、売上や集客には直結しません。**Webサイト作成には絶対に外してはいけない条件**があります。

それが

相手目線でWebサイトを作る

ということ。

そうです、この章で何度も言っていることですよね。

ターゲットがサイトを見た時に「これは自分のためのお店だ！」ってパッと見て分かるように、つまり、オーダースーツに20万払ってもいいと思っている人が「おっ！こんなお店探してたんだよ。どれどれ」って思わず行動したくなる種類の「カッコよさ」が必要です。

「スーツなんて、今どき3〜4万でも作れるし、お金出しても7万くらいかな〜」なんていう人が「カッコいい」と思うサイトではいけません。

見た目がいいだけで
ターゲットが不明確では
売れないよね……

ターゲットから得た情報を逆算 「自分のためのサイトだ！」とパッと見てわかるWebサイトの 作り方5ステップ

📝 ワークあります！

スーツに高額をかけられる顧客の方向けのサイトを作るにあたって、今あるサイトを一から作り直すことができるなら、それに越したことはありません。

でも、せっかくサイトがあるなら、それを活用したいですよね。すべてを見直さずとも、ファーストビュー（ホームページを開いた時に、最初に移るメイン画面）の**デザインやキャッチコピーを見直すだけでも、効果を感じる事ができる**と思います。引き算マーケティングは、<u>すぐ効果が実感できるところにまず取り組んでいくことも大事</u>です。

今あるサイトを活用しながら相手に響くサイトに生まれ変わらせるにはどうしたら良いか？　かんたん5ステップに分解して、ノウハウを紹介します。

ステップ1　集まってほしい顧客層を明確にする

あなたの商品やサービスを気に入ってくれている、かつあなた自身も「また来てほしい」と思う顧客像を明確にします。単純に職業名だけではなく「悩み」や「特徴」も組み合わせてみると、よりイメージしやすくなります。

> 例：フォーマルな場への出席が多く、着こなす印象も評価されやすいのに
> 自分に似合うスーツを持っていない会社経営者・大学教授・スポーツ選手

ステップ2　その顧客層が商品を探すためにネットで検索する
キーワードを書き出す

基本的に人が商品や解決策を探すときには「商品カテゴリ」「望む状態」「コンプレックス」「悩み」などを組み合わせて検索することが多いです。

このキーワードを見つけるもっとも手っ取り早い方法は「ネットでなんて検索してウチにたどり着いたんですか？」など本人に聞いてみることです。

> 例：オーダースーツ・高級・品格・大人・経営者・アスリート・体型・肩幅・
> おなか

ステップ3　そのキーワードを並べてキャッチコピーをつくる

本人にインタビューすることで、いろいろなキーワードが出てきます。それらのキーワードをうまく使いタイトルや補足の文章を作ってみましょう。1つの文章にキーワードを全部載せるのではなく、2〜3文に分けると作りやすくなります。

> 例：信頼される大人のオーダーメイドスーツ
> スーツにはファッション性を求めるよりも、TPOに合わせた品格を持つ
> ことが大切。当店では人から見られることが多い経営者・スポーツ選手を
> はじめ年間750着のスーツをお届けしています。

ステップ4 キャッチコピーを反映させたデザインにする

デザインする際は「カッコいい感じにする」など感覚的だとキケン。自分の正解とターゲットの正解が一致するとは限らず、迷走してしまいます。

なのでデザインができあがったら、**ターゲット層の優良顧客に見てもらって感想をもらうなど、自分の主観に頼らずに、客観的に評価する**ことを心がけましょう。

自分がいいと思っていたものが
全然よくないイメージに
つながることも……

ステップ5 「お客様の声」を狙ったターゲットだけで構成する

業種・年齢・性別を統一するだけじゃなく、ステップ2で見つけたキーワードを使ったエピソードを掲載することで、読み手への説得力が一気に増します。

例：
会社経営者
大学教授
経営コンサルタント
ラグビー選手

ふむふむ。
ここなら納得のスーツの
仕立てをしてもらえそうだ

まとめ

実践したこと

・この施策にかかったコスト：サイト更新費50,000円

・ホームページ情報の差し替え&削除

・お客様の声を集める

その結果

Webサイトのターゲットを20万円出してくれる顧客層に絞った

スーツを20万円分買ってくれるようになった

苦手だった顧客層がお店に来なくなった

さらに、「トータルコーディネートしてほしい」という、
新たな需要が生まれた

お金があるけど格好に自信がない方の、
隠れ家的な店舗になることができた

BESTな
サービスに絞り込む

レッドオーシャンと化しているマーケットで特に有効な方法です。「大手が参入してきた」「求められるサービスが多様化してきた」など、まともに対応していてはとても勝ち目がない！ そんな状況の方が**自分のBESTだけに絞ることで、ブルーオーシャンを築くことができます。**

(こんなビジネスの方におすすめ)

☐ 競合が増えて競争が激化している業界
☐ 顧客が選べるプランやメニューが多い業界
☐ 競合他社に比べて自社の商品メニューが少ない場合

(相談者の概要) 業種：**印刷屋** 　名前：東尾さん

【抱えている悩み】

競争が激化している業界で生き残るためECサイトを作成。しかし印刷機を自社でほとんど所有していないため、競合に比べて値段が高くなり、注文が入らない状況が続いていた。さらに市場が価格競争のステージに入っているので、営業も苦戦を強いられている。スタッフの平均年齢もどんどん高くなっていることもあり、新しい攻め手のアイディアが出づらく、活路がなかなか見つけられないでいた。最後の望みをかけて、再度ECサイトのテコ入れをするため業者選定を始めた。

ぶっちゃけた話を先にしますが、実はうちで通販サイト運営しているんですがずっと赤字なんですよ。

 そこで5社ほどから話を聞いてます……。
その中から一番いい会社さんを選ぼうということになってまして。

 なるほど。まったく勝てる気しませんね 笑。

 中谷さんならうちのサイト、どんなものにしますか？

 まだ何も話を聞いてないのでまったく想像できないですよ。

 心の声：（コイツいい加減なやつだな……）

 話を聞いててもよく分からないんで、
工場を見せてもらえないですか？

 いいですよ。

 おーでっかい機械ありますねー。
僕、印刷工場って初めて見ました！

 ……いや、うちの欠点でもあるんですが、機械が少ないんです。

え？　これで？？

 今は機械を持たない営業だけの会社も増えてますが、持っているところでは少ない方かと。

 どの機械を動かした時の利益が一番高いんですか？

 それはこれですね（冊子印刷機を指差しながら）。

 なるほど。今のオンラインショップは「何でもできます！」みたいになって競合の中で埋もれているので……。

 利益率が高い仕事だけを受注するショップを作りませんか？

 そんな事できます？　そもそもうちの営業からは、オンラインで仕事が取れるはずない、と反対している人間の方が多いんです。

 それはやってみないと分からないですが、自信ありますよ！

 （こんなに自信にあふれているなんて、面白いやつ。どうせ失敗するなら、この人に賭けてみたいな）

商品が少ない・融通が利かないなら
同じ土俵に乗ってはいけない

すでに競合他社が多く、さらに価格競争のステージに突入しているようなレッドオーシャンにおいて、<u>ひとり社長が生き残るのはかんたんなことではありません。</u>多くの場合、このステージに入った市場から小規模事業者はどんどんはじき出されてしまいます。

なぜなら価格競争に突入しているということは、量産体制が整っている大手や大規模な企業が参入している可能性が高いから。**レッドオーシャンで競合の真似をしても小規模事業者は埋もれてしまうだけ**なのです。

ラインナップを増やすと……
対応できるけど得意ではないGOODの商品が一気に増える

価格を競合に合わせると……
量産体制が整っていないので手間の割に手元にお金が残らない

このような感じで、土俵（＝市場）からはじき出されてしまいます。さらにこんな状態で「ココが踏ん張りどころじゃい！」と思って、銀行から借り入れを増やしたりするのは、絶対オススメしません。**強者のやり方はあくまでも強者のやり方。<u>ひとり社長のやり方ではないのでうまくいくことはまずありません。</u>**

ひとり社長の追い風！「ビジネスエントロピーの法則」

ではレッドオーシャン化してしまった業界では、ひとり社長は尻尾を巻いて逃げるしかないのでしょうか？　いいえ、違います！　この書籍の前半でお話しした法則、覚えてますか？

そうです、ひとり社長の強〜い味方

ビジネスエントロピーの法則

です！　市場は常に細分化へと進んでいくという法則でしたよね。価格競争が
起こり飽和状態になった業界で次に起こるのは細分化の波です。そこで求められ
るのは、より消費者の好みに合わせた「私のためのメッセージ」「私のためのサービ
ス」です。

そんな市場で鍵となるのが、あなたの「BESTなサービス」と、ターゲットリサー
チで聞き出した「顧客の情報」です。

これらの鍵を活かして、レッドオーシャンで
あなただけのポジションを作り出し、
需要を独り占めしてしまいましょう！

\はい！/

自社の利益率が高い商品だけで集客する仕組みを作る！
BESTに絞ったWebサイトを作る3つのステップ

ステップ1　BESTとGOODを仕分けする　📝ワークあります！

既存の商品ラインナップを一つ一つBESTとGOODに仕分けしてみましょう。ラ
インナップが多い時は、大概の場合GOODが混ざっていることが多いです。その中
から数少ないBESTがどれなのか？　見つけ出していきましょう。

BESTなサービスを見つける基準

□利益率が高い　　□得意である

□スピードが早い　□需要がある

確かに冊子印刷機は4つすべ
ての条件が満たされてるぞ。
古い機械だし注目してなかっ
たけど、チャンスあるかも！

**ターゲットリサーチで
得た情報とマッチするBESTを選び出す**

あなたが勝負できそうなサービスは、BESTなサービスだけを残した時点ですでに数点、もしくは一点に絞られていることと思います。つぎはターゲットにインタビューして得た情報を元に、BESTなサービスの中でも**特に得意だったり利益率が高いサービス**を見つけてさらに絞り込んでいきます。

ふむふむ、論文や同人誌とか冊子印刷する時って見た目や仕様にこだわる人って結構いるんだな

今回の論文の表紙は紙質にこだわりたいんですよね

自社で機械を所有してるから細かい要望にも応えられるし、スピードも出せるから勝負できる!

**選び出したBEST専門のWebサイトとし、コピーも
ターゲットへのラブレターのようにその人がドンピシャで
響く言葉をリサーチ情報からチョイスする**

サービスを絞り込んだら次は、Webサイトの最初にどんなコピーを記載するか考えていきます。ココでもゼロからクリエイティブ脳をフル回転させる必要はありません。答えはすでにリサーチした情報の中にあるはずです。

絞り込んだサービスについて

弱点だって視点を変えれば強力な引き算マーケティングになるんだよ!

● どんな要望や需要があったか?
● どうしてこのサービスをウチで申し込んでくれたのか?
● 実際に商品を手にしてどう感じてくれたか?

こんな質問の答えがほとんどそのままコピーに使える
場合が少なくありません。

ページ数の多い冊子
大学の論文作成なら
お任せください!
ABC
論文

所有している冊子印刷機をフル稼働させるために冊子印刷専門のサイトに変更

Webサイトで売上を上げたいのであれば、たとえ本当は商品を数多く扱っていたとしても、Webサイトでアピールする商品は絞ったほうがいいです。BESTに絞ることで、**あなたのサイトのイメージが伝わりやすくなり、行動を起こしてもらいやすくなります。**

　今回の印刷屋さんの場合は、冊子印刷以外の商品・サービス向けも展開していて、それ用の設備投資などもしてしまっていたため、全事業を冊子印刷だけに全振りするのは難しい状況でした。そんなときも、WebサイトだけはBESTなサービスを宣伝する形に特化させることで、魅力的なサイトにすることができたのです。

まとめ

▼

実践したこと

・自社の利益率が高い商品だけに絞って集客する仕組みを作った
・かかったコスト：オンラインショップ制作費用、広告費は今までと同じ

▼

その結果

・**万年赤字だったサイトが本格稼働して3ヵ月で黒字化に成功**
・**それから10年以上たっても利益を出し続けている**

自分のキャラクターで絞り込む

　ターゲットリサーチで得た情報の**活用法としては一番トリッキーなやり方**です。もしあなたが、セミナー講師・コーチ・コンサルタント・カウンセラー・サロン・治療院……のように、顧客と直接向き合うサービスをされているなら、今回の絞り方はとても参考になると思います。

　この絞り方でWebサイトを構成すると、**望んだお客さんが増えることはもちろんですが、苦手なお客さんが寄ってきづらくなる効果もあります。**

こんなビジネスの方におすすめ

☐ コーチ・コンサル・カウンセラー・先生やサロン系

☐ ターゲットと直接対面して一定期間伴走するようなサービス形態

☐ 特徴的な性格で特定のターゲットとしか仲良くできない

相談者の概要　業種：**セミナー講師**　名前：神木さん

【抱えている悩み】

「ターゲットをファン化する仕組みをつくる」というノウハウを、セミナーやワークショップで提供中。商品の質には自信があって、実際に参加された人からの満足度は高いが、そもそもの参加者が少ない。ターゲットを特定できず、だれに売っていいのか分からないという問題を解決

できずにいた。いろいろな勉強会に参加してみるけど、どれもしっくりこない、というか講師や参加者とウマが合わず、話を受け入れられない状態が続いていた。

ヒアリング開始　相談者：神木さん 　相談相手：中谷

 いろいろな勉強会に参加されてますが、僕の勉強会も伝えている内容は本質的には変わりないですよ。なんで参加されたんですか？

 前にお話を聞いた時に、本当にクライアントの事を大切にされている人だなと。何か他の人と違う雰囲気を感じました。

 へぇ〜。よく見た目がランボーみたいだって言われますけどね 笑。

 （真顔で）いや、そういうことじゃないです。

 冗談ですよ 笑（おっと、このネタがウケないタイプか……）で、確か今は、セミナー講師をされているんですよね？

 はい。ビジネス構築のノウハウは自信があるものを持っています。セミナーやコーチングに参加される方の多くが成果を出しています。

 えー、スゴイじゃないですか！
それなのにどんな悩みがあるんですか？

 まだまだ顧客が少ないのでもっと増やしたいんです。

それで、ターゲットを絞るためにセミナーとかに参加してるのですが、どれもピンとこなくて。

 そういうことですか。確かにご自身でも、しっかりとしたビジネスの組み立て方を教えてますもんね。

 そうなんです、僕のサービスの特徴を説明させていただくと……

2時間経過

わあ、もう2時間は内容の説明されてて、さっぱり内容がわからないぞ。……

なら、こういう内容を真剣に聞けるような、真面目なタイプがターゲットになるんじゃないか？

 ……というわけなんです。

 そうでしたか。では士業の方をターゲットにして、セミナーや勉強会を開いたらどうですか？

 士業ですか？

 はい。いろいろ話を聞いて感じました。神木さんのキャラとセミナーの情報は士業の方にピッタリハマると思います。

何者かが分からなければ好きになりようもない

　顧客と直接接するようなビジネスモデルの場合、時として<u>他の業種とは違った要素が重要視される傾向があります</u>。通常もっとも重要視されるのは、サービスのクオリティです。コンテンツの内容はもちろん、価格、申し込みやすさなど、**全部の総合点で購入するかどうかが判断されます。**

　ただ、前述したような業種の場合、それ以上に重要視されるものがあります。それは、**サービス提供者のキャラクター**。これからしばらく（もしくはずっと）自分に直接サービスを提供して伴走してくれる人です。そりゃ、サービスの内容よりも、「この人と馬が合うかな？」「信用できるかな？」という感情の方が重要になってきますよね。

　つまり、集客用のWebサイトを作るときにも、サービスの説明だけだったり、もしくは自分の画像を載せなかったり、<u>**何者かが伝わらないページはスルーされる可能性が高まります。**</u>

人に依存するサービスは価値観や考え方を中心に絞り込む

　見込み客があなたの人柄を見ていることは分かりましたが、当然あなたも見込み客をフィルターにかけたいですよね。面倒だったり苦手な人は申し込んでほしくありません。後でモメますからね。

　あなたやあなたの考え方と、相性がばっちりハマるターゲットだけが来てくれる状況が一番の理想です。であれば、Webサイトでは「あなたの価値観や考え方、キャラクター」を全面に出しましょう。

> そうすることによって、見込み客とそうではない人を一気にふるいにかけることができます

キャラクターを絞る5ステップ！
理想の顧客を集めるWebサイトの作り方

📝 ワークあります！

ステップ1 ターゲットを絞り込む

　第2章で紹介した流れに沿って、<u>自分の理想のターゲットがどんな人なのかを言語化</u>します。**大事なのは言語化**すること。「なんとなくイメージがあるから大丈夫！」なんて思ってこの作業をすっ飛ばす人は後でしっぺ返しを食らう可能性大なので、しっかりやってくださいね。

● 馬鹿っぽい話し方とかノリの軽い人は苦手
● 自分の現状に危機感を感じて変わりたいと思っている人
● 精神論よりも仕組みで成果を出すのが好きな人
● 理論建てた説明が好きな人
そんな人がいいな

ステップ2 ターゲットの悩みを絞り込む

　3-3で紹介したターゲットリサーチをしながら、<u>相手があなたに抱いている印象はどんなものか？</u>　を明確にします。複数人にインタビューすることで

・**それぞれどのように考え方が違うか？**
・**逆にどのあたりが共通するポイントなのか？**

このあたりを見極めていきます。その中でもよく貰う評価の言葉を書き出していきましょう。

・「理論がしっかりしていてわかりやすい!」

・「一つ一つやることがシンプルなタスクになっていて実践しやすい!」

・「人見知りだけど、自分と似た匂いがするので接しやすかった!」

> このあたりの言葉よくもらうかも。
> よく考えたらココは意識してるポイントだ! 優良顧客の人たちって僕が意識している部分をちゃんと評価してくれてるんだな

ステップ3 自分の価値観や考え方でさらにターゲットを絞り込む

リサーチした情報をもとに、自分がもっともやりやすいタイプや成果を出しやすいタイプの共通点を見つけて、その共通点をもとにターゲット像を絞り込みます。すでにリサーチした方の中で特に嬉しい言葉をくれる人が似た業種なら、そこに絞ってしまうのもありです!

> 嬉しい言葉をくれる人って士業の人が多いな。
> 確かに自分のキャラなら士業の先生と相性いいし、今までもやりやすかった!

ステップ4 絞り込んだ情報をもとにコピーを作る

ターゲットを絞ることができたら、いよいよ相手に響くコピーを考えていきます。この際もゼロから考えるのではなく、すでに得た情報の中から**効果がありそうなモノをピックアップするだけでOK**。

具体的にどのような情報をピックアップしてどんなコピーを作ればいいか、3つのパターンを紹介します。

1 ビジネスカテゴリで絞る

ターゲットの業種や成果が出しやすいジャンルが絞り込めている時は、**その情報をそのままサービス名に使う**ことができます。

例1）士業専門のビジネス再構築コーチ
例2）40代からの起業専門ビジネス講師

2 考え方で絞る

ターゲットにウケているあなた独自の考え方や価値観がある場合、それをWebサイトの前半に配置することで、**ターゲットからは「うわ！　めっちゃ考え方一緒」と共感を得ることができます**。そして同時に苦手な人たちからは「う～ん、なんか面倒くさそうな人」みたいに距離を置いてもらうこともできます。

例1）「あなたとマンツーマンで伴走しながら全力でサポートいたします。しかしながら、私があなたのかわりに走ることはできません。なので丸投げしたい方の力にはなれませんが、一緒にアドバイスしながら走ってほしい！　と思う方にとっては理想の相棒になれるかもしれません」

例2）「当サロンはあえて○○を使用していません。なぜなら△△と考えるからです」

3 性格の特徴で絞る

あなた自身やサービスが特徴的な場合は、Webサイトの前半部分に**動画を設置してリアルなキャラが伝わるようにする方法もあります**。動画の方が文字よりも伝わる情報が多いので、よりミスマッチを防ぐことができます。

その際に気をつけることは、変なキャラのスイッチを入れないこと！

「動画ではめっちゃテンション高かったのに、実際にあったらそうでもないじゃ
ん……」なんてことがあると逆効果になりますからね。

> **動画を掲載する時に押さえたいポイント**
>
> ・言葉の使い方が自分と合いそうだ
> ・苦手な人からは「なんか雰囲気が自分とは合わないな」

こう感じてもらうことなので、
変なスイッチを入れずに撮影してください 笑

ステップ5 作成したコピーと自分の画像を組み合わせた情報で
Webサイトを更新する

冒頭で紹介したような業種の場合、そもそもサービスを提供する人がどんな人
物かを判断できなければ、それだけ問い合わせや申込みの機会を逃しています。

また、Webサイトで感じたあなたの印象と実際に会ったときの印象にマイナス
のギャップがあると、それも離脱される原因となってしまいます。

Webサイトを更新する際は、写真の表情だけではなく、格好や文章の書き方、**す
べてコミコミであなたを表現**するようにしてください。普段からスーツは着ずにカ
ジュアルスタイルならそのとおりの格好でOKです。

まとめ

実践したこと

・自分のキャラクターにマッチするマーケットを選び、士業専門のセミナー講師と
して売り出した
・セミナーの内容もターゲットに絞ったエピソードや言い回しに絞った

その結果

・売上2,000万円→1億越え
・自分が話しやすい顧客ばかり集められるようになった
・セミナーの言い回しや事例も絞ることができるようになったので相手の
心に刺さりやすくなった

　同じ業界の中でもいろんなタイプの人がいて、自分の特性がどんな人と相性が
いいのかを分かっていることが大事です（士業業界でも、テンションが高い人を求
める人もいれば、低い人を求める人もいます）。

> 自分の好き嫌いが明確だったり、
> 人見知りなどの性格があるなら、
> その気質と照らし合わせて
> ターゲットを絞ってみるのもアリだね！

コラムvol.3

価格の付け方って どうすればいいの？

実はメチャクチャ多い価格設定に関する悩み

ひとり社長として売上を安定させていく段階で、集客方法と同じくらい相談が多いのが価格設定についてです。

この価格（Price）の設定は、マーケティングプロセスの最後「4P」の1つ。それほど重要なプロセスでもあるため、なんとなくだったり、モヤモヤした状態で実践するとビジネスの成長を鈍化させてしまいます。

1. ターゲティング
だれに売るか？

2. ポジショニング
ターゲットにどのように意識してもらえるか？

3. マーケティング要素の4Pを決めていく

製品 Product / 価格 Price / チャネル Place / プロモーション Promotion

ex: P53

なんて怖いこと言っちゃいましたが、安心してください。重要なプロセスだということは、価格設定にはちゃんとルールが存在します。**そのルールに則ってサービス開発をすることで、迷わずに価格も決めることができます。**

手元に残る利益と顧客満足の両方を積み上げていくために、欠かせないノウハウなので、ここでしっかりマスターしてくださいね。

そのサービスの価格、どうやって決めていますか?

　現状、あなたは価格設定をどのような根拠で設定していますか?　コンサルティングを通して数多くの価格設定に関する悩みを聞いてきましたが、その中でもよく聞くのは以下のような声でした。

> ・「そもそも価格の付け方がわからないから、毎回適当に
> なっている。それで商品が売れていればいいんだけど、
> そういうわけでもない……」
>
> ・「値上げしたいけど、そのせいで売れなくなりそうで怖い。
> 何を根拠に値段を上げればいいのかわからない……」
>
> ・「安価で提供することでなんとか選ばれているけど、このまま
> 行くと自分の首がゆっくりしまっていくだけな気がする……」

あなたもこんな状態だったりしませんか?

　この悩み、一度ハマるとなかなか解決の糸口が見えません。しかも利益に直結する悩みなので、**長引くほどにお財布事情が苦しくなっていきます。**

役割がぜんぜん違う!　大きく二分される商品

　この状況をサクッと抜け出すためには、まず価格設定と商品開発の関係性について知っておく必要があります。まず最初にお伝えしたいこと。

それは、数ある商品は「商品」という1つのグループで括るのではなく、「役割」で括るということ。

　引き算マーケティングにおいて、商品の役割は大きく2種類あります。相手の信頼を得る**「フロントエンド商品」**と、あなたの手元に利益を残す**「バックエンド商品」**です。

引き算マーケティングにおける商品の役割

フロントエンド商品
【役　割】あなたの価値を速やかに感じてもらい、信頼を獲得する
【価格帯】安価もしくは無料に設定し、価格以上の価値をターゲットに感じてもらう

 初回相談30分無料、お試しサンプルプレゼント、客寄せ用の目玉商品など

バックエンド商品
【役　割】信頼を得たターゲットの「悩みの解決」や「望みの実現」に効果的な主力サービス
【価格帯】フロントエンド商品よりも高額で手元に利益を残せる設定

 顧問契約、100万円のサイト制作、本製品の販売など

　このように2つの役割によって、価格帯も大きく異なります。つまり、価格設定は商品の役割をもとに、ある程度絞り込むことができるのです。もう少し深掘りしていきましょう。

3つの価格設定と役割の組み合わせ方

　価格設定方法は3種類あり、役割に合わせて向き不向きが存在します。競合他社の価格帯やターゲットリサーチで得た情報と、以下の情報を組み合わせれば、自ずと価格の目安がわかるようになります。

役割に合わせて3つの方法から価格を決める

方法1　相場より安くする

【 特 徴 】商品が売れやすくなる。サービス提供の手間を少なくし、商品価値を高くすることで信頼を獲得しやすくなる

【 役 割 】**フロントエンド商品**

【注意点】目的のない安売りは、自分たちの首を絞めるだけ。必ずバックエンド商品など利益を生む手段と組み合わせて使う

【参考エピソード】4-7

方法2　相場に合わせる

【 特 徴 】競合と同じ価格帯でも需要が急増している成長期の業界に居る場合もしくは、安定している業界でも、競合他社に比べて独自性のあるサービスなら売れやすい

【 役 割 】**フロント・バックエンド商品**

【注意点】あなたのポジショニングが明確じゃないと他社製品に埋もれてしまう

方法3 ▶ 相手の悩みを解決する価値に合わせる

【 強 み 】相手をファン化させやすい。手元に利益が残りやすい。専門特化
　　　　　したサービスなら市場相場の2〜10倍の価格でも売れる

【 役 割 】バックエンド商品

【注意点】<u>「これを手に入れれば今よりよくなれる！」「価格は割高だけど効
　　　　　果を考えればぜんぜん高くない！」 こんなイメージをターゲット
　　　　　に抱かせられないとぜんぜん売れない</u>

【参考エピソード】5-4

価格競争はフロントエンドでしか起こらない

　一覧で見ると分かりやすいと思いますが「相場より安くする」という価格
競争は、フロントエンドでしか行われていません。

　フロントエンドの目的は、あなたや商品の価値を感じてもらうこと。この
段階で価値を感じてもらえれば、バックエンドでは価格競争が起こることは
基本的にありません。この事実を知らずに、バックエンド商品も価格競争が
必要だと思い込んでいると、いつまで経っても手元にお金が残らない、ジリ
貧の状態が続くことになります。

　**最終的に売りたい商品はなんなのか？　そのため
に興味を引きたい商品はどれにするのか？**　そんな風
に考えて、**価格設定のストレスから開放されましょう！**

第4章

だれにも見られない広告を引き算する

紙/Web広告の重要な役割

Webサイトを作っただけでは売上は上がらない！？

さて、ここまで来ると、ターゲットと、ターゲットに対するあなた独自のポジションが固まりました。そしてターゲットにとって魅力的なWebサイトも手に入れています。

でも引き算マーケティングの仕組み全体の完成度でいくと、まだ折り返し地点を曲がって後半戦に突入といったところです。

もちろん、**元々あなたが持っていた仕組みに比べれば雲泥の差くらいの仕上がり**にはなっています（おっとごめんなさい 笑）。でも、まだ現状の仕組みには欠陥があります。それは、<u>せっかく作ったWebサイトへのアクセスを集められない</u>ことです。

> え？ Webサイトまでできあがってるんだからこのままでも、もう集客できるんじゃないの？

こんな風に感じる人もいるんじゃないかと思います。事実、僕の会社には「イケてるWebサイトさえ作ればなんとかなる！」と、過大な期待をもって問い合わせされる方が数多くいます。

もちろん、第3章で紹介した**Webサイトの引き算をお手伝いするだけで一気に売上が改善する方**もいます。しかし一方で、Webサイトを作るだけでは**なんともならない方**もいます。その違いはWebサイトの特性を見ていけばよくわかります。

Webサイトは受け身のメディアだから繋ぎ役が必要

Webサイトが持つ特性。それは**受け身のメディア**であるということです。

Webサイトとはいってみればインターネットというメチャクチャ広大な土地の中にポツンと店を構えているようなもの。そしてその広大なインターネット世界には似たようなサイトが、同じようにたくさん乱立しています。

このままでは、いくらWebサイトを作ったとしても、あなたのところまで誰かが訪れる方法は「たまたまたどり着く」以外ありません。つまりこんな状態では**狙ったターゲットにサイトへ訪れてもらうなんて無理な話**です。

> これこそがただWebサイトを作っただけでは
> 売上アップには繋がらない理由です。
> ではどうすればいいと思いますか？

たとえば、あなたが欲しいターゲットをサイトまで誘導してくれる**「繋ぎ役」**の存在がいたらどうでしょう？ そうすれば広大な土地だろうが、競合が存在していようが、ちゃんと**サイトへアクセスを集めることができます。**

紙/Web広告に与えられた重要な役割

そこで登場するのが**紙/Web広告**なんです。彼らが繋ぎ役となってターゲットをあなたのサイトに誘導してくれます。

これこそが紙/Web広告の役割。**重要なバトンの繋ぎ役**という立ち位置なんですね。

基本的に広告が繋ぐ先には

● サービス紹介と申込みを受け付けるWebサイト
● 申込みや相談を担当する店舗スタッフ
● 問い合わせを受けるオペレーター

こんな風に実際の売上を生み出すためのセールス部門があります。バトンを繋ぐリレーで言うとアンカー（最終走者）ですね。広告は、そのアンカーへバトンを繋ぐのが役割、というわけです。

もちろん、広告が繋ぐ先はWebサイトに限りません。**実店舗に繋ぐ場合も同様に当てはまる**話なので、今後置き換えて読み進めてくださいね。

もしかしたら今まで広告という存在にココまで明確な役割をもたせずに活用していたかもしれません。そんな方も、この役割を意識しながら引き算マーケティングしていくだけで**大きな成果を生むことができる**ようになるでしょう。

紙/Web広告が優秀な繋ぎ役になるための3つの条件

　広告の役割がわかったところで、次はどうすれば優秀なつなぎ役としての広告を作ることができるのか？　その条件を紹介します。

条件1.ターゲットの目に触れること

「あなたのターゲットの生活動線上に、その広告が本当にあるのか」

　この点がもっとも大事です。この点を確認せずに価格が安いなどの理由で媒体を選んでしまうと、**結果的に一番お金を無駄にする**ことになってしまいます。

　広告は相手の目に触れなければ、1円の売上も生みだすことができません。つまり**相手の目に触れる広告を選ぶ**ことが大前提で、かつ**相手が日々の生活でどんな広告媒体を目にするかを知っている**ことが大事です。

　当たり前のように聞こえますが、実は多くの企業が広告媒体選びを間違えています。あなたもこんな基準で広告媒体を選んだこと、ありませんか？

● **自分が知っている媒体だから**
● **知り合いの会社が使っていたから**
● **掲載料金が安いから**

よく見る
あの媒体でいいか！

　このような理由で媒体を選んでしまうと、そもそも相手に広告が届かないという事態に陥りやすいです。

事前にターゲットについてリサーチをして、**生活動線の中でどんな媒体を目に
するのか**を確認しておきましょう。

条件2.一瞬で興味を持たれること

　Webサイトの時と同じように、紙/Web広告に与えられた時間も多くありませ
ん。<u>甘く見積もって2秒</u>。媒体によってはそこまでの時間も割いてもらえないものも
あります。

　つまり勝負は一瞬。**パッと見られた時に「ん？　これなんだ？　ちょっと興味あ
るぞ」と感じさせる。**<u>これが紙/Web広告の超えなければいけない壁</u>です。

　Webサイトも同様に、「パッと見て相手の興味を引けることが大事」だと第3章
でお伝えしました。しかしWebサイトの場合は、ターゲットは何かを期待して能動
的に閲覧しているので、**「期待されている情報をきちんと載せているか？」**が鍵に
なります。

　一方紙/Web広告の場合は、もっとフラットな状態のターゲットに興味を持って
もらわないといけません。そのため難易度でいうと、Webサイトより高くなります。

条件3.今すぐ行動したくなること

一度広告で興味をもってもらったら、速やかにセールス部門にバトンを渡す必要があります。そのためには以下のあたりが相手に伝わらないといけません。

- 今すぐ行動すべき理由
- どうすれば申し込めるのか?
- どこに行けばいいのか?

せっかく興味をもたれても、相手を少しでも悩ませてしまうと、すぐに離脱されてしまいます。そうならないために、心に響いたらリスクと手間がなく思わず申し込みたくなる・ボタンを押したくなる、そんな行動しやすい作りであることも広告の条件になります。

制限が多いからこそあなたにもチャンスがある!

こう説明していくと厳しい条件ですよね 汗。余計な情報を載せていては一瞬でスルーされてしまいます。だから広告はうまく活用できている会社とそうじゃないところで成果が大きく異なるわけです。

そこで今回も登場するのが引き算の極意です! 今回はスペースも時間も限られています。でもこれは見方を変えれば、引き算の腕の見せ所といえます。つまり、**広告作成と引き算マーケティングはメチャクチャ相性がいい**ってことです。

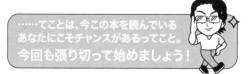

……てことは、今この本を読んでいるあなたにこそチャンスがあるってこと。
今回も張り切って始めましょう!

4-2

広告の内容は
目的から逆算するべし!

とにかくサイズに制限がある。すべてはここから

　広告がWebサイトと大きく違うポイント。それはサイズです。紙/Web広告は基本的にサイズがあらかじめ決まっているケースがほとんど。

　しかも、そのサイズは基本的にとても小さい場合が多いです。もちろん看板やポスターみたいな大きいサイズの広告もありますが、この場合それなりに遠くから見ることが多いので、その分、文字や画像を大きくしなきゃいけない。

　結局見やすさを考慮すると、載せられる情報はスペースに対して少ない、ということになります。となると、**起こってくるのが情報の大渋滞**。少ないスペースに情報を詰め込もうとしてしまうので、情報がギッチギチの広告ができあがりやすくなります。

　自分がターゲットだった時のことを考えるとわかりやすいです。あなたも見たことはないですか?　郵便ポストに入ってる、やたら情報が多いのに結局何が言いたいかわからないチラシ。それがギッチギチの広告です。

なんだあのチラシ……
あんなギチギチじゃだれも読む気にならないよね

そもそも足し算しまくれるほどのスペースはありません。でもスペースが狭いからこそ、最小限の情報で最大限のメッセージが伝わるように工夫しないと、相手は行動を起こしてくれません。

広告の掲載すべき情報は逆から考えれば一目瞭然

　ではどんな選りすぐりの情報を掲載すればいいのでしょうか？　実はこの答えの出し方はとてもシンプルです。それは広告の役割から考えればかんたんに導き出すことができます。

　広告は悩んでいる人の前に現れて興味を持ってもらい、そのままWebサイトや店舗に誘導する繋ぎ役でしたよね。だとすると、あなたも広告を作成しようとする時点で、明確に繋ぐ先が存在するということになります。

　しかし、**広告を含むマーケティングの最終的なゴールは**Webサイトではなく、以下のような**具体的な行動**です。

繋ぐ先の例（最終的なゴール）

　・サイトに誘導して**申し込みを獲得**する

　・店舗に誘導して**商品を販売**する

　・**カウンセリングに申し込み**を受ける

　・お試し利用の**問い合わせを得る**

　・**イベントに参加**してもらう

どこへ繋いであげるのか？　を明確にすると答えは見えてくる

　繋ぐ先が明確になれば繋ぎ役として「何を掲載すべきか？」その情報が浮かび上がってきます。それは何かというと、「もっと詳しい情報が知りたい！」という**興味を喚起するために必要な情報**ってことです。

逆に言えば、**それ以外の、最終的なゴールにいくために必要な情報はその後の Webサイトや店舗などで伝えればいいわけです**。最終的なゴールとはたとえば、先に述べた申し込みを獲得するとか、商品を販売するとかです。どれもヘビーなゴールですよね？　このようなヘビーなゴールは繋いだ先での仕事です。

広告の仕事は、あくまでも

● **商品についてもっと知りたい**
● **セミナーの内容や流れを知りたい**
● **問い合わせをして話を聞いてみたい**

このような**感情を喚起することだけ**。

ココが紙/Web広告づくりで勘違いしやすいポイント。
なにもたった2秒で相手に「申し込みたい！」という
感情まで持っていく必要はないよ

さすがに与えられたスペースも時間も限られているという悪条件の中で、そこまで大きく感情を動かすのは無茶です。でも多くの人が、そんな重荷を自分で勝手に課して成果が出ずに苦しんでいるわけです。あくまでも「ん？　なんだろう。もっと詳しく知りたいかも」こう思ってもらうだけで、役割はまっとうできているということです。

どうですか？　そう考えると、載せるべき情報がだんだん絞られてきませんか？
紙/Web広告は制限も多いけど、同じように目的も絞られる。だからやり方さえ覚えてしまえば、**今までよりも大きな成果がカンタンに出せるようになります**。

実はこんなにある！
主要な紙/Web広告一覧

知っているほど有利になる広告媒体の種類

広告媒体って聞くと何を思い浮かべますか？　リスティング広告・SNS広告・DM・折込チラシ・看板・ポスター。このあたりが多く出てきやすい答えだと思います。

もちろん全部正解です。ただ、マーケティングで活用しやすい広告媒体はもっともっとあります。そして**広告媒体の種類はたくさん知っていればそれだけ攻め手が増える**ことになります。それはすなわち**マーケティングで優位に立つこと**を意味します。

というわけで、ココではマーケティングで活用しやすい主要な広告を一覧にしてみます。

マーケティングで活用しやすい主要な広告手法

紙面広告	
チラシ **パンフレット**	オーソドックスな紙広告。紙面の内容ほか、配り方によっても効果が大きく変わります。

ポスター	掲載期間が決まっている場合が多いので、イベントやキャンペーン情報などスポットでの使い方が主流です。
新聞折込	同居世代や高齢者にリーチしやすい広告です。ターゲットが直接見なくとも、親や周囲がつなぎ役になってくれる可能性もあります。
新聞広告	新聞の広告欄です。業界新聞などに出せば、特定のターゲットにリーチすることもできます。
FAXDM	顧客リストや配信業者保有のリストにむけて一斉FAXをする方法。古い業界やITリテラシーが低い業界に有効です。
DM	顧客に向けて直接広告や案内を郵送する方法。顧客リストを持っている場合は紙媒体の中でも訴求力が高いです。
手配り	チラシなどを路上などで手配りする方法。事前に警察に届け出ることでイベント会場前や校門前などでも配ることができます。
地域指定郵便	郵便のように送ることができるため開封率が上がります。地域を狙い撃ちにする場合は有効です。

郵便局 パンフレット ラック	郵便局の窓口で申し込み、郵便局にパンフレットを置いてもらいます。事務職員や高齢者にリーチしやすいです。アイキャッチに力を入れましょう。
郵便局 サンプリング	郵便局員が店頭で直接手渡ししてくれます。追加料金を払えばターゲットの選定も可能です。
地域情報誌	広告を掲載したい情報誌の種類によってターゲットが変わります。入稿のタイミングに合わせないといけないため、前倒しの準備が必要です。
求人誌	若年層はWebでの情報収集が主流のため、比較的高齢層を中心にリーチしやすい方法になっています。
ポスティング	一人暮らしや核家族など、新聞をとらない層にリーチできます。集合住宅などを狙い撃ちしやすいです。
名刺	トリッキーですが引き算しだいでは名刺だってあなたのサービスを告知するツールに変身できます。
看板	実際の店舗などがある場合は特に相性がいいです。

Web広告	
SNS広告	Facebook・インスタグラム・LINE・YouTubeなどSNS系サービスのフィード画面などに広告を表示できます。ターゲットがSNSを利用している年代層の場合、Webサイトへアクセスを集めるのに相性がいいです。
リスティング広告	Google広告やYahoo!リスティングなどの広告配信サービスを利用します。相手の検索キーワードにあわせて、検索結果の上位に広告を表示したり、地域や年代・興味・関心などでセグメントした相手にテキストや画像の広告を配信できます。Webサイトへアクセスを集めるためには最も相性がいい広告媒体の1つです。
ポータルサイト	ホットペッパー、エキテンなどを始めとするサービス特化型情報サイトに自社情報を掲載する方法。ターゲットの利用が多いサイトを選ぶと効果が出やすいです。
自社Webサイト	実はWebサイトもサービスや自社を告知しているメディアなので広告の一種です。上記広告などからアクセスしてきた人たちに対し、より詳しいサービスや法人について紹介する旗艦的広告です。唯一広告のサイズや文字数に制限がない媒体のため、好きな情報を好きなだけ掲載できるぶん、情報過多にもなりがちです。

広告は3つの分野を同時に引き算する

重大ミッションをクリアするために同時引き算をする

　この章で紹介する引き算も、今までと同じように3つの分野があります。しかしながら今回は、今までのような引き算とは異なり、今回は1つの分野だけではなく、**3つの分野を同時に引き算をする**という離れ業をやっていただきたいと思います。

　前節で説明したように、<u>紙/Web広告には時間もスペースも限られた状態でバトンを繋ぐという重大ミッション</u>があります。そのため、同時引き算という大技を繰り出してミッションを達成します。

> おいおい、この本の最初に引き算マーケティングは
> **難しくないって言ってたやんけー！**

　だれですか怒ってるのは？
　そうプンプンしないでくださいよ。もちろん覚えていますよ！　今回も、手順通りやればしっかり実践できるやり方を紹介します。

紙/Web広告の反応率が向上する3つの分野

その1 広告媒体を引き算する

　もっとも広告費の無駄をなくすことができる引き算方法。今使ってる広告媒体を減らしながら成果を出すことも可能になります。

＼こんな人におすすめ／

いろいろ広告媒体を活用してみたけど効果が出ないし、
広告費ばっかりかかってしまう……

その2 情報を引き算する

　限られたスペースでも相手に興味をもたせる方法。サイズが小さくよりスペースが限られている広告で相手に興味をもたせることができるようになります。

＼こんな人におすすめ／

広告が届いているのに見られていない……

その3 選択肢を引き算する

　興味があるけど行動しない相手を後押しする方法。広告文を変えなくても思わず行動してしまうきっかけを作ることができるようになります。

＼こんな人におすすめ／

Web広告は見られているのに行動を起こされていない……

広告媒体を引き算する

広告費ばっかり無駄にかかっている時の王道の引き算

もっとも**広告費の無駄をなくすことができる引き算方法**です。「いろいろ広告媒体を活用してみたけど、効果が出ないし広告費ばっかりかかってしまう……」こんな方には**即効性のある引き算**になってくれます。

広告コストを減らしながら成果を高める方法なので、しっかりマスターしてください！

相談者の概要 業種：**介護施設** 名前：庄屋さん

【抱えている悩み】

業界全体が人材不足ということもあり、自社が運営する施設も慢性的な人手不足に悩まされていた。ハローワークにも求人を出しているが、競合の中に埋もれてしまい反応はゼロ。でもどうにかしないと施設運営が回らなくなってしまうため、一大決心で予算を大きく確保。求人チラシを作って新聞折込を30,000部、それを2回配ってみたが反応ゼロで途方に暮れている状態だった。

| ヒアリング開始 | 相談者:庄屋さん | 相談相手:中谷 |

 求人広告を出したのに反応はゼロ。
もうどうしたらいいのかわからないです 泣。

 スタッフが足りないとサービスが提供できなくなって、
死活問題ですね。

 そうなんですよ。今回も広告費に全部で50万くらいかけたのに、応募が
1件もなかったんです。ほんとマズイです。

 50万ですか!?　それは安くないですね。
で、今回はどんなスタッフを集めたいですか?

 普通の介護スタッフです。
フルタイムじゃなくて短時間勤務のパートでも全然いいんです。

 なるほど、
庄屋さんのところはパートさんは多いんですか?

 はい、ウチは若いママスタッフのパートさんが多くて
みんな仲がいいんですよ!

 へぇ～。なんでそんなにママスタッフが多いんですか?

 もちろん人件費を抑えられるという点もありますが、
ママが働きやすい環境を意識してるんです。

 ほぉ、そうなんですね。
たとえばどういうところを意識してるんですか?

4-5

広告媒体を引き算する

たとえば、子供が発熱して保育園から連絡が入っても、みんなで急な休みをカバーできるようにしているとか、本当に雰囲気がいいんです。

 それは確かに働きやすそうですね！
で今回どんな媒体にいくらかけたんでしたっけ？

 新聞折込に50万……

 それは集まらないでしょうね 汗。

いくら素敵なメッセージを作っても
相手に届かなければ意味がない！

　どうでしょうか？　もしかしたら上記のやり取りを見ただけで、あなたも問題点に気づいたかもしれませんね。今回の問題点は**「ターゲットと広告媒体がマッチしていない」**これに尽きます。ターゲットは若いママでしたよね。そして選んだ広告媒体が新聞折り込みです。

　さて、想像してみてください。家族構成は夫婦2人と小さな子供1人の3人だとします。今はニュースも番組表も、ネットで調べられます。さらにいうと子育て真っ最中の今は出費は抑えたい時期。となると……そんなご家庭で新聞定期購読をしているでしょうか？　可能性はちょっと低いかなって気がしませんか？

このようなミスマッチが起こっている媒体に、**いくら費用をかけても反応が出ることはまずありません。**一見すると、求人広告といえば折込チラシ、という発想自体はそんなに間違っているわけでもなさそうですよね。でも実はそれが罠なんです。「求人広告なら折込チラシ」「店舗への誘導なら看板」みたいに、ターゲットのことを考えず、イメージ先行で媒体を選んでしまう人が少なくありません。

広告は相手の生活動線からチョイスする

広告媒体を選ぶ時は、流行っているからとか自分が持っているイメージからではなく、ターゲットから逆算して考えます。具体的に言うと**ターゲットの生活動線から逆算すれば、広告媒体を間違うことはありません。**

ターゲットが毎日どんな行動をしているのか？　平日の行動、休日の行動を調べます。そのなかで、**目にする広告媒体をピックアップしてあなたの広告を掲載すれば、確実に相手の目に触れることができる**というわけです。

実際に今回の事例で改善した点は、広告媒体を新聞からポスティングに変更したこと。たったこれだけでした。たとえ新聞の定期購読はしていなくても、郵便ポストのチェックは毎日しますよね。

つまり、郵便受けに入る広告は相手の目に触れるということ。せっかく作った広告を無駄にせず、ちょっと方法を変えるだけでターゲットにメッセージを届けることができました。

集客と一言でいってもターゲットの生活動線が違えば、チョイスすべき媒体も変わるってこと

ターゲットにマッチする媒体を見つける3つの逆算ステップ

📝 ワークあります！

　適切な媒体を想像する時は、なんとなくの感覚や「周りがやっているから」といった根拠の無い理由ではうまくいきません。次に紹介する**3ステップでかんたんにそして確実に相手に届く広告媒体を見つけることができます。**

ステップ1　ターゲットの1日の行動を時系列に書き出す

　朝起きてから夜寝る前まで、ターゲットがどんな1日を過ごしているのか？
一覧やグラフにして書いてみましょう。

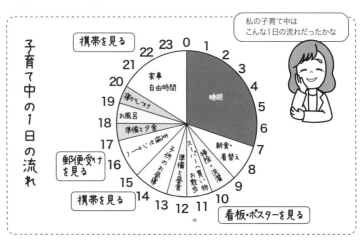

私の子育て中は
こんな1日の流れだったかな

子育て中の1日の流れ

携帯を見る　家事・自由時間　睡眠　朝食・着替え　洗濯・掃除　スーパーへお買い物　お散歩　子供のお昼寝　準備と昼食　ママのお昼休み　お迎え　準備と夕食　お風呂　寝かしつけ　郵便受けを見る　携帯を見る　看板・ポスターを見る

ステップ2　ターゲットの目に触れる広告媒体を書き出す

　書き出した1日の中で、ターゲットはどんな広告に触れているのか？　4-3で紹介した広告媒体も参考にしながらピックアップします。

ポスティング
求人誌
ポスター
SNS広告
看板

あ、ママは新聞とって
ないじゃないの……

ステップ3 あなたのサービスと相性がいい媒体を選ぶ

　LPなど一度Webサイトへ誘導したいなら、Web系の広告またはQRコードなどが掲載しやすい広告。電話申し込みをもらいたいなら、チラシや情報誌。特定の日時に会場へ来てほしいなら、ポスター、チラシ、Web広告。このように自分のサービスと相性がいい媒体をチョイスすれば目に届くだけじゃなく、その後の行動も起こしやすくなります。

郵便受けは
ママもチェックするから、
ポスティングが使えそう！

まとめ

実践したこと

・この施策にかかったコスト：250,000円

・広告媒体をターゲットの目に触れるものに変更した

・コストは新聞折込にかけていた半分でトライしてみた

その結果

・10件の応募を獲得できた

・しかも最初から相性のいい人材に絞って求人したためより自社にマッチした人材を選ぶことができた

・広告費は半分で4名を採用し、人員不足を解消できた

情報を引き算する

パッと見て相手に興味をもたせる重要な引き算

　広告はとにかくスペースも、与えられた時間も限られています！ 僕たちに与えられた時間はほんと一瞬だけ。広告って、自分がターゲット側の時は何も考えずに、パッと見てポイって捨ててしまいますが、逆の立場になるとメチャクチャしんどいです。一生懸命作ってポイってされたら悲しすぎます。

　そこで必要になるのが今回の方法。**限られたスペースでも相手に興味をもたせる引き算**です。「広告は届いているはずなのにWebサイトへのアクセスがない」とか「お客さんが来店しない」こんな悩みを持っている人はぜひこの話をチェックしてみてください。**きっと改善ポイントが見えてくるはず**です。

相談者の概要 業種：**健康雑貨のメーカー**　名前：谷さん

【抱えている悩み】

　季節ごとに生活を彩る健康雑貨を開発して店舗で販売する形態をとっていた。しかしターゲットとなる人達がWebで買い物をすることが多くなり、店舗での売上が減少。時代の波に乗るためオンライン販売を開始した。ECサイトも他社に引けを取らないものに仕上がり、後はアクセスを増やすだけ。そんな時にアクセル全開、広告費をかけWeb広告を掲載するも全然広告がクリックされず。まさかの展開に頭が真っ白状態。

| ヒアリング開始 | 相談者:谷さん | 相談相手:中谷 |

 中谷さーん。Webで売るのがすっごく難しいですー。

 おっと、圧がスゴイ……どうしたんですか?

 お客さんがみんなWebで買うようになったのでECサイト作ったんですが、全然アクセスが集まらないんです 泣。

 あれ? たしかスゴくいい感じのショッピングサイトがありましたよね?

 そうなんですけどー。
そもそもそのサイトにアクセスを集められていないんです。

 なるほどー。それは宝の持ち腐れですね。

 このままじゃ本当に腐っちゃいますよ。

 いやWebは腐らな……
いや、どんな広告で集めてるんですか?

 リスティング広告です。季節の商品をこんな感じでまとめたやつです。

 おぉ。商品ギッチギチに載せてますね 汗。

だって、広告費も馬鹿にならないじゃないですかー。
だからいっぱい載せたほうがいいかなって。

いいかなって……。多分それが原因ですよ。

え？　私が悪いの？　やだー。

……

載せたい情報を載せるのが広告の目的じゃない！

この章の冒頭でもお話しましたが、紙/Web広告はほとんどの場合、次に繋ぐ先があります。つまり**広告の目的はバトンを繋ぐこと**。でもほとんどの人が、載せたい情報を見やすく載せるのが広告だと勘違いしています。

ここを間違うとバトンが途切れてしまうので、こんなことになってしまいます。

・**Webサイトにアクセスが集まらない**
・**店舗に人が来てくれない**

今回の事例でも、<u>自分目線で見せたいと思っている季節の新商品</u>がてんこ盛りの状態でした。当時見た広告になるべく似せたイメージをお見せしますね。

どうですか？　あなたがインターネットを見ていてこんな広告が飛び込んできたらどうですか？

文字が多すぎて読む気もしないですよね。そういうことです。この広告の場合、本当の目的はクリックしてECサイトに飛んでもらうこと。それだけ。だから、ここで詳しい商品の説明とかいらないわけです。大事なのは

・ん？　なにこれ？　ちょっと興味ある
・え？　面白そう。もう少し知りたいかも

こう思わせること。そういう目線で見ると、いかに情報がTooMuchか分かりますよね。

広告デザインはとにかくパット見に勝負をかける

広告はパット見で興味を待たれなければ即スルーされてしまいます。いくら後半にいいことを書いても読まれません。そのためには、**広告の役割から逆算して載せるべき情報を厳選しましょう。**

今回の事例をまとめてみると、

広告の役割＝ECサイトにアクセスを集める
ECサイト＝季節の健康雑貨販売サイト

この情報を元に深掘りしてみよう！

ザク
ザク

そもそも健康雑貨とは?
＝必ず必要なものじゃない

そんな商品に興味を持ってもらうには?

面白そう!

ネタになりそう! なにこれっー!?

こんな感情にする必要がある。

そのためには、

ターゲットリサーチをして得た情報からキーワードを見つける

・商品を購入した理由はなにか?
・実際に買ってみてどうだったか?

 ex: P112参照

実際に得た情報

・プレゼント用に面白そうな商品を探していた
・話のネタになりそうなものをなんとなく探していた

こんなリサーチ情報を元に以下のような改善を実施

・複数アイテムから1つの商品に引き算する
・寒くなる以外の要素(商品の説明文章やイメージ)を引き算

なにこれっ！面白そう！！

引き算前

季節の新商品がてんこ盛りの状態

引き算後

夏季限定
通称「寒くなる石鹸」
マイナス20度のラトビアの極寒を体験

文字以外にも画像などを効果的に使い、
メッセージが伝わるようにします

まとめ

実践したこと

・ディスプレイ広告のデザインを変えた

・デザイン修正費用5,000円

その結果

・Webサイトへのアクセスが10倍に増加

・雑貨に興味を持った人が訪れているので売上も増加

・覚えたやり方を転用し、商品ごとのWeb広告を作成し掲載

・さらにアクセスが増えECサイト運営が軌道に乗った

選択肢を引き算する

興味を持っている相手の背中を一押しするスパイス

作成した広告に自信あり！　相手の心に響いているはず。なのに反応がない……。広告展開をしていて、手応えは確かにあるのに結果に反映されない、なんてこともあります。

それは自分の思い込みで、実は相手の心に響いてない……なんてことも無きにしもあらずですが、今回は興味を持たれているはずなのに行動してくれない。そんなケースで、ターゲットを後押しする方法を紹介します。

元々つくった広告文を書き換えずに、**ちょっとした一言を追加するだけで、思わず行動してしまうきっかけを作ることができるようになります。**

相談者の概要	業種：**サロン専門のコンサルタント**
	名前：菅原さん

【抱えている悩み】

自身がサロンオーナーだったころにうまくいっていた店舗運営ノウハウをコンサルティングしている。5年間、口コミだけでサービスが広がっていたが、ココに来てその流れが途絶えてしまった。サービスには自信があったので、地域の店舗からの問い合わせを獲得するためハガキDMを

送付。しかし反応がほぼなし。DMのオファーには自信があっただけに反応の悪さにショックを受けていた。

| ヒアリング開始 | 相談者：菅原さん | 相談相手：中谷 |

 ずっと口コミでサロン向けにコンサル事業をしていたんですけど、ココに来て紹介が途絶えてしまいました。

 むしろ今までよく紹介だけで繋げていましたね。すごいです。

 サービス内容には自信あって、ほとんどのクライアントさんでいい成果がでていますからね。

 それはスゴイですね。それならサロンオーナーさんのコンサルを受けたい人いっぱいいるそうですよね。

 僕もそう思っていたんです。それで無料コンサルを募集するハガキDMつくったんですが、全然反応がなくて……。

 えー。反応ありそうですけどね。
ちょっとそのDM見せてもらっていいですか？

 はい、今日持ってきました。
えっと、これです。

 おぉ。実績も載ってるしめっちゃ魅力的なオファーじゃないですかー！

 ありがとうございます！
やっぱり方向性はあってますかね。

方向性はバッチリですよ。ちなみにこの無料コンサルって何人まで受付可能ですか?

 いえ、幅広く受け付けようと思ったので、特に決めてなかったです。

 すごい太っ腹ですね。申込みはいつまで受け付ける感じですか?

 あー。それも来た分だけ受けようかなって。

 それです!　多分その太っ腹が原因ですよ。

 え?　そうなんですか?　どうすればよかったんですか?

相手に選択肢を与えすぎるとグータラになっちゃうよ

　広告は相手に届いている。そして内容も相手の心に響いている。でも相手が行動しない……。そんな時は大体「ターゲットの選択肢」に問題があります。それは広告を読んだ時に、ターゲットが取れる選択肢がとても多い、ということです。

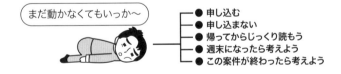

　こんな感じで、申し込む以外の選択肢がめちゃくちゃ多い。そしてそのほとんどが後で考えるという「決断の先延ばし系」の選択肢です。

いつ申し込んでも大丈夫そうなオファーだから「気が向いた時に反応すれば いいかな」と感じられてしまう。**わざわざ今行動する必要性を感じさせられて いない点に問題があります**。そうこうしているうちに広告は忘却の彼方へ。

　あなたのことは忘れられて、一生反応されない。というのが今回の話です。

限定要因で選択肢を取り去ってしまう

　魅力的な広告を作り、さらに今すぐ相手に行動してもらうためには、選択肢を 取り去ってしまえばいいのです。要は**「今すぐ動かないと手に入れられなくなる かも」と感じさせる**ことです。そのためには、広告に限定要因を付加して、選択 肢を減らしてしまいます。

　限定要因を付加するとは、**日付や人数などを制限して、相手に「今すぐ」反応 すべき理由を与えること**です。今までの「決断の先延ばし系」の選択肢をほとん ど取り去ってしまうことで、重い腰を動かしてもらいやすくなります。

　今回のコンサルタントさんに実践してもらったのは人数に制限をかけること でした。

　無料コンサルティングの文言の前に 「○月○日17時まで　先着5名の限定募集」を 付けただけ。

引き算後

サロンオーナーの方へ
0月0日17時まで 先着5名の限定募集
効果実証済み！
集客が途切れない店舗運営
5つのコツ
初回コンサルティングを
無料で提供します！

たったこれだけで相手の選択肢を 一気に引き算しました

注意！　限定感がないものは限定してないのと同じ

　限定要因を追加する時に1つ気をつけたいのが、しっかり**限定感を出す**ということ。

　たとえばこんな限定だったらどうですか？

年始に「お年玉企画の特別価格」
地域のお店で「ご連絡くれた方には非売品の〇〇プレゼント」
求人チラシで「オープニングスタッフ募集　20名」

　「ん？　なんかちょっとお得そうだけど、急がないから後で考えよう」って感じますよね。これでは限定要因を付加していることにはなりません。やるならしっかり限定感が出るように、

▼

「1/7までのお年玉特別価格！」
「〇月〇日17時までにご連絡いただいた方には、
　非売品の〇〇プレゼント」
「オープニングスタッフ募集　20名あと3名」

急がなきゃ！

　このように期限などを定めてあげることで、「あら！　今行動しないと間に合わなくなるかも」と背中を後押しすることができるようになります。

主な限定要因の種類

　限定要因は基本的に人数や期日で設定することが多いですが、それ以外の主要なやり方を紹介しておきます。

期限で絞る	12/25までの限定公開 1/31までのキャンペーン価格
人数で絞る	先着30名様限定 定員20名
日時で絞る	8/13,14日に開催 3が付く日だけの特別価格
その他の 限定要因	雨の日限定 　※天気などで売上が落ちやすいビジネスに有効
	コスプレ限定 　※趣味嗜好が類似するターゲットを集める
	地域に1社のみ 　※利益相反がおこるFCやパートナーシップ系に有効

まとめ

実践したこと

・ハガキDMに人数の限定要因を追加した

・新しいハガキDMの印刷費80円×100枚＝8,000円

その結果

・投函して1週間で5名の応募を獲得

・無料コンサルでしっかり価値を感じてもらったことで、有料のコンサル契約を獲得

・違う地域に同じハガキDMを送ることで、今後も新規集客ができる仕組みが手に入った

業者にデザインを
依頼する時の注意点

「広告とWebサイト」バトンを繋ぐ時の失敗あるある

実際にWebサイトや広告の制作段階になると、ほとんどの方が制作会社に依頼することと思います。

料金が安いところ、気が合いそうなところ、実績があるところ、チョイスする理由はさまざまあります。制作会社ごとの得意分野や、あなたとの相性などもあったりしますので、どこを選んでもいいと思います。**ただ1つだけ、注意してほしいことがあります。**

広告制作時のあるあるな失敗。それは……

広告とWebサイトのデザインや世界観がバラバラ

チラシは印刷会社、Web広告は広告運用会社、WebサイトはWeb制作会社。一口に「制作会社」といっても、すべてを一気通貫でやってくれる会社はほとんどありません。結果として、広告とWebサイトの制作会社が違っているというケースがとても多いです。

そして、**それぞれの会社が主体になって「連携を取る」なんてことも、ほぼありません。**

そのため、制作したデザインや世界観が思い思いの方向に向いてしまっていることがよくあります。ひどい時には、広告とLPサイトで、訴求しているターゲットがズレている、なんてこともあるくらいです 笑。

マーケティングの仕組みを作る時に、セールスの不一致を生み出すと、成果が一気に出づらくなるので注意が必要です。

制作会社がバラバラな時は、一言添える

このような事態にならないために、制作会社に依頼する時は既存の広告やWebサイトを見せて、統一感を出したい旨を一言添えてください。それだけで、反応率の低下を防ぐことができます。

実際にあった広告の不一致案件

相談者の概要　業種：**バッグのメーカー**

【抱えている悩み】

ママの希望をすべて反映させて作ったマザーズバッグを販売するため、Web広告を頼んだが反応が良くなかった。損益分岐ラインが6,000円だったのに対し、顧客獲得単価が10,000円と大きく赤字に。購入者からの反応はすごくいいのに改善策が見つからず悩んでいた。

よくよく調べてみると

・Web広告と販売LPの雰囲気が一致してなかった
・LP＝15,000円に見合う高級感のあるデザイン
・ディスプレイ広告＝気軽に見れる親近感のあるデザイン

興味を持って広告をクリックした人に、「え？　お手頃な
バッグだと思って来たのに、高そう……」と思われて離脱さ
れてしまっていた

解決策

・文字だけじゃなくデザイン・世界観も
　一致させる
・Webサイトのデザインと統一感のある
　Web広告に変更した

結果

顧客獲得単価が10,000円→4,000円に減少

損益分岐点を下回ることが出来たので、広告を出すだけ売上が上が
る状態になった

> 同じコピーを載せていたとしても、
> デザインの仕方で雰囲気は変わる。
> 広告とWebサイトの統一感があるとないとでは、
> こんなに成果が大きく違うんだ！

ゴールがずれている営業を引き算する

忘れちゃいけない。
営業もマーケティングの一部

営業は売上獲得の最終関門

さて最終章は、営業について。「ECサイトだけで完結している」など、直接ターゲットと話をする機会がないビジネスを除いては、契約や販売につなげる重要な段階です。あとはココさえマスターしてしまえば、繰り返し売上を生み出すマーケティングの仕組みを完成させることができます。

しかしながら、この**「営業」における引き算は、4つの引き算の中でも一番おろそか、というか見落とされがちです。そもそも、<u>営業というプロセス自体をマーケティングの一部だと思えていなかったりしませんか？</u>**

1章で説明したとおり、マーケティングとは「商品が売れるための一連のプロセス」です。であれば当然、営業といったセールスに関する行動も含まれます。言われてみれば「確かにそうだな……」と感じると思いますが、どうですか？　今まで営業を切り離して考えていませんでしたか？

でもこの「営業」はマーケティングプロセスの中でも、トップクラスに重要な部分です。ココがうまくできるかできないかで、売上の桁が変わることもよくあります。

マーケティングにおける営業プロセスの重要性はとても高い！

これまで紹介した引き算マーケティングを展開し、広告やWebサイトなどを活用すれば効率的に見込み客を獲得することができるようになるはずです。

しかし、まだこれで商品が売れるとは限りません。ここまで来て見込み客が脱落するケース、実は少なくないのです。最終段階に来て見込み客があなたの商品を買わないという場合、いったいどんな理由があると思いますか？

「そりゃ、理由なんて人それぞれでしょー」なんて言いたくなるかもしれませんが……そうではありません。実は、商品が売れない原因には、この**「営業」**のプロセスが絡んでいることが多いのです。

見込み客があなたの商品を買わない理由は大きく4つに分けることができます。

マーケティングプロセスの中で
見込み客があなたの商品を購入しない理由と原因

理由1 あなたのサービスの存在を知らない

原因 ▶ 広告

理由2 あなたの存在を知っているが「サービス」に魅力を感じない

原因 ▶ 広告と営業

理由3　あなたの存在を知っているが「あなた」に魅力を感じない

原因　▶　営業

理由4　購入したいと思うけど障壁がある（料金、決済方法、タイミングなど）

原因　▶　ケースバイケース　ターゲット側のこだわりだったり、コチラの仕組みの問題だったり

　これを見てわかるように、見込み客が商品を買わない原因は、半分近くが営業によるところが大きいです。実際に僕がコーチングを始める際にも、マーケティングが途中まではうまくいっているのに、**「営業」で下手を打って、契約・申し込みを逃している状態の人がとても多いです**。せっかく広告でサービスに興味を持ってもらっても、この**最終段階で失敗すると売上はゼロになってしまう**ので、しっかりマスターしていきましょう。

とはいえ営業って才能とか適正が必要じゃないの？

「そうはいっても、自分は営業苦手だし……」
「営業は話術が必要で、だれでもできる話じゃないよね……」

　なんて感じで、テンションが全然上がってこない人も多いと思います。でも、スキルが必要なんてことはありません！

　もちろん、スキルにモノを言わせて受注するやり方もあります。でも、スキルを必要としなくとも、同等に、もしくはそれ以上に申し込みを量産する方法が存在します。この章を通して、**営業が苦手なあなたでもすぐにでも活用できる引き算方法を紹介していきます**。しっかりついてきてください！

5-2

売り込まなくても売れるようになる！営業での引き算ポイント

あなたの力が最も発揮しやすい準備が大事

話が得意じゃない人でも営業で望んだ成果を出すために、とても重要なことがあります。それはしっかり準備すること。<u>営業は勝てる状況を作って臨みさえすれば、本番でテンパることもなく、文字通り勝つ（販売する）ことができます。</u>

そして、その勝てる状況はこれから紹介する**3つのポイントで引き算する**ことで作り出すことができちゃいます。……「勝つ」とはいっても、「ターゲットをやりこめて打ち負かす」こととはまったく別の話です。今まで営業に苦手意識を持っていた人も騙されたと思ってぜひ読み進めてください。

キーワードはこれまでと同じ、「相手目線」です！

相手目線

勝てる状況をつくる3つの引き算ポイント

POINT1 余計な思い込みを引き算する

一つひとつのトーク技術よりも断然重要な最初に知っておいてほしいポイント。実は営業に対して間違った思い込みをしている人がメチャメチャ多いので、まずはその呪縛を解き放ちます。

営業するときに罪悪感を感じたり、売り込みになるからやりたくないと感じている人。

POINT2 営業の目的から引き算する

スムーズに営業が進み成約になって一件落着！　と思ったら、あとでクレームが来た。営業を進めるうえで着目すべき話のポイントを間違うと、こんな事態に陥ってしまいます。逆にこの着眼点が正しければ、一人あたりの売上単価を一気に上げることが可能になります。

お客さんの要望通りにサービス提供しているのに満足されなかったり、クレームを入れられたりすることがある。

POINT3 トークの内容を引き算する

相手が「あなたの商品を欲しい！」と自発的に感じるためにはトークの組み立てが必要不可欠です。この組み立て方さえ身につけてしまえば、売り込みなど一切せずに商品を思い通りに販売することができるようになります。

商品の説明をしてもぜんぜん売れない、自分だけが話をしてそれで終わってしまう人。

余計な思い込みを引き算する

営業で売れない原因の1位はメンタルブロック

意外だと感じる人もいるかもしれませんが、僕が過去何百人とコーチングをしてきた中での統計値として「営業やセールスの段階まで来たのに売れない」その原因のダントツ1位は「メンタル」です。

あ、「鋼のメンタルが必要だ」って話じゃ全然ないですからね！ 営業に対して持っている思い込みが、商品が売れる邪魔をしているってことです。

あなたもこんなイメージを持っていませんか？

> いい雰囲気を作ってもどこかでは必ず売り込みのモードに切り替えないといけない

> 一度や二度断られたとしても食い下がらなければいけない

> 相手にその気が無くても、ニーズをなんとか引き起こして説得しなければいけない

> 元気よくテンション高くコミュニケーションしなければいけない

> 売れそうになかったら、情に訴えてお願いしなければいけない

どうですか？　少なくとも1つは当てはまるのではないかと思います。でもこんな営業に対するマイナスなイメージ、全部勘違いなんです。ほんと営業に関するノウハウや情報は間違いだらけでビックリします。

嫌なことをするのは営業ではありません！

営業というのは少なからず、
自分、もしくは相手が嫌な思いをするもの。
だから苦手だし、やりたいと思えない

こんなイメージ
どこから来たんでしょうね？

　過去に会社で上司にそう言われたとか、知り合いで営業をしている人がそう言っていたとか、営業をネガティブに思う原因はそんなところだと思います。
　もしくはあなた自身がこういう嫌な営業を受けてきたから、イメージが付いてしまったのかもしれません。

　確かに今でも、こんな昭和の体育会系の匂いがぷんぷんするような手法を受け継いでいる方々はいると思います。でもそんなやり方で営業していれば、最初こそ勢いで成果は出るかもしれませんが、時間が経てばクレームの嵐です。営業でクレームが多い人には、こんな時代遅れの特徴があるからです。

クレームが多い人の売り方

Noと言われても屈しない鋼のメンタルで営業する

↳ 今の時代、**ただただウザい**だけです。

勢いで相手を言いくるめて、申し込みを強いる

↳ かなりの確率で**後で揉めます**。

平然と嘘をついて受注する

↳ 本人はグレーゾーンだけどギリOKと思い込んでいますが、**法律に厳しい現代はアウト**です。

まさに昔ながらの営業手法です。こんなことをしてはいけません。十中八九、「後でモメるだろうな」って想像つきますよね。

そもそも営業と人付き合いをわけて考えてはダメ！

営業で大事なことは、<u>普段の人付き合いと営業という行為を別の世界のものとして考えないこと</u>です。自分の友だちが何かに悩んでいたとしたら、どんな風に接しますか？

・あなたの意見を鋼のメンタルでゴリ押ししますか？
・相手が望んでいないのに無理に説得しますか？

するわけないですよね。では、どうするでしょう？　おそらく

・まずは今抱えている悩みや問題点を聞くところから始める

・相手が何を望んでいるか？　何を考えているのかを聞く

・その情報に合わせて、自分が知っていることやできることを伝える

このようなことをしますよね。**つまり営業もそれと同じでいいってこと。同じようにするだけで十分にものは売れていきます。**

やりたくないことを引き算すれば
トークの組み立て方が見えてくる

「営業」というのは	・無理に売り込む必要はない ・強引に説得する必要はない ・必死に食い下がる必要はない

今までの思い込みを引き算して、このポイントを代わりにインストールしてください。なんでもそうですが、間違った基礎の上に何を積み重ねても、すぐに崩れてしまいます。

この章の最初の引き算に、わざわざマインドの話を持ってきたのは、それだけ重要だから。というわけでまずは、営業に対する間違ったイメージを全部引き算して消し去って、綺麗さっぱりした気持ちになり、次のトーク内容自体の引き算に突入していきましょう。

営業の目的から引き算する

ホントに目的から引き算するだけで売上の桁が変わる

見出しだけ見ても「何のこっちゃ?」って感じだと思います。でも見出しの通り「売上の桁を変える」そんな力を秘めているノウハウなので、今回もしっかり付いてきてほしいです。それではシンプルでカンタン、それでいて効果抜群のお話、はじまりです。

営業をしていてこんな経験ありませんか?

- お客さんの言われたとおりにサービスを提供したのに、満足してもらえなかった
- 自分のほうがお客さんと関係が深いのに、自社で提供できるサービス枠を他社に取られた
- 売れる商品はあるのに客単価が安いままで積み上がらない・リピートされない

もしこんな悩みをもっているとしたら、それ、営業の目的がズレている可能性が高いです。

意外に多い?　目的がズレズレで話を進めている人

「目的がずれている」とは、つまり「どんな目的・ゴールを見据えて話を進めているか」「今、なんの話をしているのか」が見えてなかったり、ずれたりしてるってことです。

どうですか？　そんな人いると思います？　お客さんと話している内容がズレズレな人。さすがにそこまで酷い人はいなさそうですよね。

否〜。 いるんですよ、それもたくさんいます。

その原因は、実はお客さんにあったりします。お客さん自体が話の目的を間違えてスタートし、それに話を合わせてしまい、結果としてズレズレ営業になってしまう。なんとも衝撃の事実なんです。

ズレズレ営業の一部始終

解説だけしてもイメージしづらいと思いますので、事例サンプルで実際のズレズレ営業の入り口まで、やり取りを見ていきましょう。

今回はだれでも理解しやすいように、今学んでいるWeb集客に関する営業を例に紹介します。今まで引き算してきた分野の話が出てきますので、どのあたりがズレズレなのか想像しながら読み進めてくださいね。

相談者の概要　業種：**有害物質の調査会社** 名前：亀田さん

【抱えている悩み】

特殊な業界なので案件の直接受注が難しく、今までは所属する協会経由で案件を獲得してきた。しかしココに来て競合がWeb広告をかけて直接受注をしだして、案件をどんどん取られてしまっている。だいぶ昔につくった法人サイトはあるけれど、Web広告はやったことがない。同じように広告を出して自分たちも案件を獲得したいと思っている。

ヒアリング開始	相談者：亀田さん	相談相手：マサルくん

 案件の受注を増やすためにWeb広告を始めたいんです！

 おまかせください！
どんな広告にしたいとかイメージはありますか？

 今までは所属する協会からの紹介で仕事を受注していました。

 だけど最近競合がWeb広告を出して直接受注しだしたことで、ウチの
シェアが減ってきたんです。そこで負けていられないと思いまして。

 なるほどそういうことだったんですね。
その競合他社さんの広告って見れますか？

 あ、はい。検索すれば出てくるので。
ポチッと、あ、これです。

 あーなるほど、はいはい。
大丈夫ですよ、こんな感じの広告はウチでも作れます！

 本当ですか！？　ぜひお願いいたします。
いくらでできますか？

 承知いたしました！　Web広告は何パターンか
作りたいと思いますので、10万円でいかがですか？

 すぐにでも作りたいです！お願いし

ストーップ!!
見事にズレズレです

見込み客の要望ではなく、悩みの解決に目的を置くべし

一体何がダメだったと思いますか？　なんだか普通の営業に見えますよね。むしろ「スムーズに進んでいて羨ましいかぎり」と思う人もいるかもしれません。

もったいぶらずに答えを解説していきましょう。「案件を競合に取られてしまっている」という悩みに対して、「デザインを競合の広告と似せるだけ」ではまったく意味がないのです。このお客さんが求めているのは、「競合に似たWeb広告を作る」ことではなく、「Web広告によって受注が増加する」こと。であれば、広告が繋ぐ先であるWebサイト自体がしっかりしていないと、いくらWeb広告をポチらせたとしても、**クライアントが真に求めている受注増加には繋がりません。**

> この辺のWeb広告の役割についての話は4章の前半で紹介しましたよね。つまり、上の事例のマサルくんは、真の目的からズレた営業をしてしまっているのです。

ではどうすればよかったか？

Web広告を作る前に、繋ぐ先のWebサイトも含めた全体のチェックをする必要がありました。そうすれば、「Webサイトも改善が必要」と気づくことができるかもしれません。もちろん「改善は必要なし」と判断できればそれはそれでOK。**大事なことはちゃんと繋がりをチェック**することです。

そのあたりもふまえて、実際にどんな営業をすればよかったのか？　目的から引き算した営業のやり取りを見ていきましょう。

目的から引き算した営業の流れ

ヒアリング開始 相談者：亀田さん   相談相手：中谷

 案件の受注を増やすためにWeb広告を始めたいんです！

 Web広告ですか、わかりました。
Web広告を始めたいと思ったきっかけって何かあったんですか？

 今までは所属する協会からの紹介で仕事を受注していました。

 だけど最近競合がWeb広告を出して直接受注しだしたんです。
それでウチのシェアが減ってきたんで負けていられないと思いまして。

 なるほどそういうことだったんですね。
1つの案件っていくらくらいなんですか？

 大体30〜50万くらいです。
だから毎月1件案件が減るだけでも大きいです。

 確かに。年間で500万くらいの損失になりますね。
その競合他社さんのサイトと広告って見れますか？

 あ、はい。検索すれば出てくるので。
ポチッと、あ、これです。

 あーなるほど、しっかり作り込んでいますね。
これなら集客できると思います。

やっぱりそうですか……
そんな広告をつくりたいのですが、ウチでもできますか?

もちろんできますよ。ただこの競合はWebサイトを作り込んでいて、そこに誘導するためのWeb広告デザインを作っています。

なので、同じような仕組みを作るんだったら、Webサイトを先に構築して、そのあとにWeb広告をつかった広告運用をする流れで組んだほうがうまくいくと思いますよ。

なるほどー。そういうことだったんですね。その仕組み、ウチも作りたいです。どうやったらお願いできますか?

うちだとWebサイトから広告までの一式で250万でできると思います。

年間500万の損失を250万で止められるならそっちの方がいいですね!　わかりました、ぜひお願いいたします!!

あなたの業界でも同じような目的のズレが起きているはず

　今回はWeb集客をテーマにしましたが、あなたの業種でもきっとこのような目的のズレが起こっていると思います。

見る気になれないな……。
別なところを探そう

もし、Web広告だけを受注していたら?

・受け皿となるWebサイトの質が低いので離脱される

・費用かけてお願いしたのに成果が出ない

→　自社のイメージが下がる

このように冒頭に紹介したような悲劇に直面することになります。そしてこれが、言われたとおりに仕事をしても評価が下がるカラクリです。

目的のズレはマーケティングプロセスを意識すれば見つかる

お客さんというのは、いろいろ端折って、自分なりに導き出した課題の解決策（欲しい商品）を伝えてくるものです。でも、お客さんはそれらの<u>問題解決に対する専門家ではないので、伝えてくる目先の解決策が間違えている可能性が大いにある</u>のです。だから、**話を鵜呑みにせず、あなたが専門家としてしっかりヒアリングする。ここが大切です。**

今回のトーク例でも使用しているのですが、スムーズにあなたの商品を「お得だ！」と感じてもらうには追加のコツがあります。それはヒアリングの前半に、**あなたの商品と比較する判断材料をお客さんの口から言ってもらうこと。**

今回の例でいくと、現状かかっている年間500万という損失ですね。こちらから「こんなにお得になります！」とアピールすると「強引な売り込み、いかにも昭和な営業トーク」になってしまいがちですが、あくまでお客さんに自発的に考えてもらうことで、トークの最後に価格やサービス内容を伝えた際、自然とそれらの情報を比較するようになります。

1つの案件は大体30〜50万くらいです。
だから毎月1件案件が減るだけでも大きいです

毎月1件案件が減ると
年間で500万円くらいの損失になりますね

これまでの「トークの最後までいったのに、お断りされてしまった」なんて状態が嘘のように、即決率が向上します。この方法も必ず取り入れてくださいね。

まとめ

- 見込み客の要望を鵜呑みにせずしっかり現状把握をする
- 目先の解決策ではなく、悩みの根本を解決したり、たどり着きたいゴールから逆算した提案をする
- 目的から引き算した解決策を提示すれば桁違いの売上も狙える

営業も人付き合いも同じ気持ちで接すると、
いままで見えなかった部分が見えてくるようになるよ！

トークの内容を引き算する

結局売り込まなきゃいけない……だから営業って苦手

営業をしていて何が嫌って、やっぱり「売り込まなきゃいけない」ってところですよね。その場を盛り上げるためのいろいろなテクニックがあるのはわかるけど、結局どこかのタイミングでサービスを提案しなければいけないもの。それまではいい雰囲気になっていたとしても、やっぱりその時ばかりはドキドキしちゃう。

こんな苦手意識をもっている人は、今回の引き算をマスターすれば、今後一切そんな気持ちにならずに済みます。むしろ「営業が好き」って気持ちにすらなってくれると思いますよ。

具体的なトークをしていてこんな状況になっていませんか？

- ちゃんと説明しているのに商品が売れない／申し込まれない……
- 相手から特に質問もなく無言の時間が多く訪れる……
- 自分だけが話してそれで終わっている気がする……

今、営業をしていてこんな状況になっているなら、きっとお客さんはあなたのサービスを欲しいと思っていませんね。

「そんな事、売れてないんだから言われなくてもわかってるよ！」って声が聞こえてきました 笑。

では「欲しい!」と思ってもらえない原因はなぜだかわかりますか?

第2章で紹介したマーケティングプロセスの流れをもとに考えれば、

可能性1	ターゲットがズレていて商品に魅力を感じてもらうことができていない
可能性2	独自のポジショニングを築けていないので、他社との違いを感じてもらえていない

これらの可能性も十分に考えられますよね。

でももし、このあたりをやっているつもりなのに、商品が売れないとしたら……。競合のサービスと比べて遜色ないはずなのに、興味を持ってもらえないとしたら……。

それはおそらく、あなたの「一生懸命伝えようとしているトークの組み立て方」に原因がある可能性が高いです。

お客さんが本当に知りたいことはいつも一つ!

まず、営業で下手をうたないために絶対に知っておいてほしいことから。それは「お客さんはそもそも何を知りたいと思っているのか?」ってこと。これを知らないと営業トークが無駄な足し算だらけになってしまいます。

実は、お客さんが聞きたいことは常に1つしかありません。

お客さんは「自分が知りたいことを知りたい」のです。

言い方を変えると「自分が知りたいこと以外は聞きたくない」ということでもあります。当たり前なようにも聞こえますが、これを分かってトークを組み立てている人はほとんどいません。

いわゆるトップセールスマンが秘密にしている営業ノウハウですね。なぜ秘密なのかっていうと、難しいノウハウなんかじゃなく分かった人からどんどん受注を増やすことができるから。そんな超耳寄りなノウハウなので、ちゃちゃっとマスターしてしまいましょう。

相手に嫌われる営業パターン

今回も理解を深めるために、実際にあった間違い営業の一部始終を切り取って紹介します。いったいどこが間違っているのか、考えながら読んでみてください。

| 相談者の概要 | 業種：**心理カウンセラー**　　名前：三島さん |

【抱えている悩み】

なりたかったカウンセラーとしてスタートしたが、全然集客がうまくいかない状態で1年が経過。時々、人からの紹介で案件があるが、全然足りない状態。このままでは転職を考えなきゃいけないと危機感を感じはじめていた。そんな時、ネット広告で女性起業家向けのビジネス構築無料個別相談の存在を知り、話を聞いてみることにした。

| ヒアリング開始 | 相談者 三島さん 　　相談相手 岩渕さん |

今回は問い合わせいただいてありがとうございます！

いえ、こちらこそ。せっかく起業してやりたいことができると思ったのに、全然集客ができなくて。そんな時にこちらのWeb広告を見つけました。

あ、それはちょうどいいタイミングでしたね。
そんな方のために面談を用意しました。

よかった。ぜひよろしくお願いいたします！

こちらこそ！　うちのコミュニティに参加していただくと全部レクチャーできますので安心してください。

え？　コミュニティですか？（急に何の話？）

はい！　大体のクライアントさんは参加されてだいたい半年でビジネスモデルをしっかり作りあげていますよ。

そ、そうなんですね……
（個別相談って書いてあったのに、ただの売り込みじゃん 泣）

で、最初の1ヶ月目にするのは…

ストーップ!!
よーく見て。
もう相手はあなたの
話聞いてませんよー

相手はあなたが話したいことを聞きたいわけじゃない

　どこがダメだったのかわかりましたか？　今回は見込み客の心の声も書いたので、かんたんだったかもしれませんね。**「相手が聞いてもいないことをべらべら喋り続ける」**ここです。

冒頭でお話したとおり、見込み客は「自分が知りたいことを知りたい」のです。今回でいうと、自分が集客できないことに対して

- どこに問題があるのかな？
- どうやったら解決できるのかな？

このあたりのことを知りたいと思っているはずです。それなのに、相手のためを思って「自分が話したいことを延々と説明する」そんな人がとても多いです。

聞いてもいない話を聞かされることほど退屈なことはありません。あなたの周りにもいませんか？　どんな話題も毎回自分の話にすり替える人。面倒くさいですよね。でも仕事では、あなたもそんな人になっちゃってるかもよ？　ってことです。おおコワい。

センスは必要なし。
無駄を省くだけで自然と売れるトークができる

では、実際どうすればいいのか？　というと。相手が知りたいことから逆算して、話す内容を絞り込めばいいのです。

逆算して絞り込む

本当の問題点はなにかな？

↳ 相手が見つけていない
　問題点に気づくように情報を提供する

それを解決する新しい方法はなにかな？

↳ どうすれば解決できそうか筋道を教えてあげる

| ヒアリング開始 | 相談者 三島さん | 相談相手 岩渕さん |

 今回はお問合せいただいてありがとうございます！

 あ、いえ。せっかく起業してやりたいことができると思ったのに、全然集客ができなくて。そんな時にWeb広告を見つけました。

 そうだったんですね。それではまず最初にいくつかお話を聞かせていただいてもよろしいですか？

 はい。お願いします。

 今やっている集客は、どのような流れになっていますか？

 インスタ広告から集客ページを作ってそこに流しています。でも全然セミナーへの申込みが無いんです。

 なるほど。広告から集客ページへアクセスした人の数はどのくらいかわかりますか？

 え？　アクセス数？　あぁ、そういうのわからないです。

 わかりました、となるとまずはアクセス解析をしてインスタ広告、集客LP、もしくはサービス自体など、どこに問題があるか？

 そこから調べた方がいいですね。

 確かにそうですね。そういうのってお手伝いいただけるものですか？

はい、もちろんできます。ウチにビジネス構築のコミュニティがあるので、そこに参加いただくと全部お手伝いできます。

なるほど、コミュニティですか。それっていくらなんですか？

こんな感じで、相手が知りたい情報を提供すればスムーズに具体的な話に進めることができます！

相手の「知りたい」から組み立てる。3ステップトーク構築法

今紹介したトークの流れは、僕自身がいつも使っているのと同じものです。そして本当にスムーズに話が進むようになります。今から紹介する流れで相手と話を楽しめるだけであなたもできるようになるので、実践してみてください。

その1 「相手が知りたいこと」を知る

- ・なぜそもそもこの場にいてくれているのか？
- ・どんな悩みがあるのか？
- ・何を求めているのか？

このあたりをヒアリングして相手が本当に知りたいことを見つけ出します。

その2 「相手が知りたいこと」を提供する

相手の知りたいを満たし、信用に足る存在であると感じてもらいます。同時に情報を知った結果「自分ではできなさそう」「情報で知ったサービスや商品が欲しい」という気持ちになってもらいます。

そのために大事なのは、情報をもったいぶらないこと。相手が知りたいことをトコトン教えてあげてください。

その3　サービスについて情報を求められたら教える

　相手がサービスに興味をもったら自然と具体的な質問をしてくれるようになります。その中で価格や導入の流れについても聞いてきますので、流れのままに伝えてください。

　注意点は聞かれてもいないのに、自分から商品のプランや流れをべらべら喋らないことです。

　この点に気をつけるだけで、見込み客は自分からサービスを求めて行動していることになります。すると後で「しょうがないから買った」とか「無理に勧められたから申し込んじゃった」といった、言った言わないのトラブルを未然に防ぐことができます。

まとめ

- ・相手が「知りたいこと」は何か、しっかりヒアリングする
- ・徹底的に「知りたい」を満たしてあげる
- ・知りたいは満たして具体的なサポートや商品が必要だと感じてもらう
- ・相手から求められたときにだけ、サービスの情報を解禁する

> つまり営業もコーチングやコンサルと変わらないってこと。
> 強引な売り込みなんかしないで、
> ひたすら相手の役に立つことをすればいいだけ！

注意！
営業の能力者になって自爆した話

営業の能力は「取扱い注意」

　営業での引き算をマスターすると、本当に狙ったとおりに案件が取れ始めます。新しい能力を手に入れると嬉しくて使いまくりたくなりますよね。そんな能力者になったあなたに、1つ注意点を伝えておきたいと思います。

　　売り込まなくても売れる能力を手に入れた、それはつまり「どんな案件も取ろうと思えば取れちゃう」状態になるってことです。つまりこの能力は、諸刃の剣でもあり、売上だけじゃなくトラブルも引き寄せる事もできるってこと。

　「いやいや能力者になったんだったらトラブルなんて引き寄せないよ！」って思いますよね。

　もちろん僕自身そう思ってましたよ。でもね、魔が差すもんなんですよ。しかも、そのちょっとした出来心が、後々でっかいトラブルを連れてくるから大変です。実際にあった僕自身の盛大な失敗談を紹介しますので反面教師にしてください。

Webの専門家に助けてほしい！

　これは僕がまだ若い頃、会社を作ってしばらくした時の話。地方の会社からお問合せをいただき、訪問することになりました。

　問い合わせをくれたのは、とある健康サービスを提供している社長。年々競合が増えている業種で、価格競争が起こり始めている状態。そこでより多く顧客を集めるためにWebを活用したいと思い、専門家の中谷の存在を知ったというのがいきさつ。

　東京や名古屋なんかは複数アポを固めて出張するのですが、その時は初めて行く場所で、土地勘もなかったので、そのアポイントのためだけに1日掛けてお話を伺いに行きました。

間違いなくWebマーケティングのセオリーから外れてる

　先方はWebマーケティングで集客が改善できるのではないかと期待をしている状態。しかし当の僕は少しモヤモヤした部分がありました……というのも、このビジネスでWeb集客ができるイメージがつかなかったのです。

　「このビジネスのターゲット、そもそもWebを日常的に使うタイプじゃないし。無理だよな……」

　Webマーケティングのセオリーから考えて、まったく合致しない案件なのは間違いありませんでした。

デビル中谷、MAXで受注したってよ。

そんな時、デビル中谷が囁きます。

　と、完全にデビル中谷に洗脳され、受注する方向に方針転換。しかも、5-4で紹介した論点から引き算した得意のトークを繰り広げ、見事(?)MAXプランの受注額で取ってしまいました 苦笑。

悪用の代償はデカかった……

がしかし。この案件はマーケティング成功のセオリーから外れた案件。当然、成果が出るはずがありません。少なくとも当時の僕にはどうすることもできませんでした。先方に申し訳なくて、自分が費用負担して何度も修正を繰り返したけれど、結局は後の祭り。うまくできなくてメチャクチャ謝りまくる、という結果に。

だから**自分がイメージできない仕事を無理して受注するなんてことをしては、やっぱりダメ。**これって自分が得意じゃないGOODなスキルで受注しているのと同じなので、結局ワーカーホリック貧乏に戻ってしまう行為です。

若いから許されるということでもない。お金に目がくらんで営業の魔力を乱用しただけ。プロとして失格だったなと思います。

まとめ

- 専門家として成功のイメージがないのに無理に販売しない
- ターゲットじゃない人に営業の魔力を乱用しない
- 間違ってもMAXプランで受注しちゃダメ、ぜったい

ライバルを出し抜く
引き算トークで狙い撃ち

引き算マーケティングは色々な場面で活用できる！

さて、「能力者になったら気をつけるべきポイント」も知ってもらえましたし、もう一通りの引き算マーケティングのノウハウはお伝えしました。

これらのノウハウを順番に実践することで、今までぶつかっていた壁を乗り越えて、**売上アップはもちろん、新たなステージに到達することができる**でしょう。

そこで最後は、引き算マーケティングを応用するとこんなこともできるようになるよ！　って話をしたいと思います。

この能力はプライベートでもバリバリ活用できます。たとえば恋愛の分野においても然り。僕のクライアントさんの1人でもある人見知り起業家さんはこのノウハウで実際に婚活に成功しました。どのように応用したのか実際のやり取りを見ながら、営業力の幅を広げてしまいましょう！

【受講生の概要】　業種：**社会保険労務士**　名前：宮下さん

【抱えている悩み】

　30代半ばの独身。社労士として独立して収入にはいささかの自信はあり。しかし背が低くて（160cm）顔には自信なし……。

婚活をしているけど、周りにはもっと収入がスゴイ人がいて強みをかき消されてしまう。そんな時に中谷の引き算マーケティング塾に出会う。早速本業のビジネスに活かしてみると成果がでたので、試しに婚活にも応用してみた結果……。

| ヒアリング開始 | 相談者：宮下さん | 相談相手：中谷 |

えっと！
今日は皆さんにシェアしたい事があるのでお話しします。

おぉ、自分からシェアしたいとは！
珍しいですね。楽しみ！

皆さんは中谷さんの塾で学んだことを、ビジネスで活かそうとされていますが、

実はビジネス以外でも十分使えることをお伝えしたいと思ってます。
それは婚活です！

うん？？？　婚活ですか？

はい！　こんな僕でも結婚前提の彼女ができました！

おーおめでとう！　ていうか婚活パーティーに参加してたんですね。どうやってマーケティングを活用したんですか？

婚活の場では「収入が多い」というのは、武器にはなりにくいんです。周りには医者や弁護士や経営者などゴロゴロいますから。

確かにそういう人たちは、
年収とかステータスを前面に出してきますよね。

そうなんですよ 汗。今まではそういう人達とガチンコで勝負になってしまっていたんですが、今回はアプローチ方法を変えました。

ほぉ。どんな風にですか?

参加している女性の欲求を調べたんですが、
収入が多くても家にいなくて浮気の心配があったり、

一緒に時間を過ごせない人では不安というのが
圧倒的に多かったんです。

へぇー。でも言われてみれば確かにそういう不安って
あるかもしれないですね。

なので僕は仕事も自宅でやっているので、近くにいて家事や育児を一緒にやりながら過ごせるという事を伝えてみました。

ゴーーーーーッ!!
なかなかいいですね!!　モテました??

かなり 笑　そこで見事に意中の人と付き合うことができました!
これも中谷さんのメソッドのおかげです!!

いやいや、マーケティングを婚活に持ち込んだ宮下さんがスゴイですよ。

マーケティングって人付き合いすべてに使えるってことですね!

ライバルを出し抜く引き算トークで狙い撃ち

一度うまくいった方法は繰り返し使うべし！

　これはメチャクチャ面白い話でした。見た目なんてのは3日で飽きる（らしい）し、そもそも男前タイプは逆に嫌、という人もいますよね。

　そんなターゲット層に向けて「お金・地位・名誉」のような、<u>だれもが思いつくようなポイントで勝負するの</u>ではなく、**相手が知りたい情報でアプローチ**したのは流石だなと感じました。

　ちなみに宮下さん、ほどなくしてその彼女と別れたらしいです……がしかし！
　もう次の月には新しい彼女の話をされていました……僕のメソッド云々ではなく、一度うまくいった方法を繰り返し使う真面目社労士さんの行動力に脱帽です。

　そしてなんと、その後めでたくその彼女さんと
ご結婚された、という話を聞きました。マーケティングの力、恐るべし！

まとめ

- ・一般的な価値基準を鵜呑みにしない
- ・ターゲットの悩みや不安をしっかりリサーチしたうえで、アプローチ方法を決める
- ・うまくいった方法は効果が薄れるまで繰り返し使い倒す

異業種の成功事例こそマネすべし!

まず、この書籍を選んでくださり、誠にありがとうございます。

マーケティングは常に進化と細分化を繰り返す分野でもあります。そのため、1つの書籍で全てを網羅することは難しい、と僕自身感じながら今回の書籍化の企画をはじめました。

特に意識したのが「実践することが難しくない。コストの上乗せを極力おさえて、かつ即効性のある話に論点を絞る」こと。そう考え、本書では具体的な事例を交えて紹介し、それを真似てビジネスに取り入れるだけで、皆さんの利益に貢献できる構成になるよう作りました。

この形態が皆さんにとってのよいレシピとなり、日々変化する環境においても役立つものであることを願っています。

本書の活用方法で最も重要なことは、異業種の成功事例から学び、マネすること。

僕自身、マーケティング関連のセミナーは数え切れないくらい開催してきました。10年以上セミナーを開催する中で、すぐに成果が出る人と、全く変化がない人の特徴は、常に一緒だと感じています。

すぐに成果が出る人は「どうやったら自分のビジネスに活用できるだろう?」と考え、出ない人は「これは他のビジネスの話だから、自分にはあてはまらない」と拒絶する。だからこそ、あなたには前者になっていただき、異業種の成功事例を取り入れて独自のポジションを確立してほしいのです。

今回特に苦労したのは事例の選定について。あなたを後押しする書籍に仕上げるために、たくさんの業種の中から汎用性の高い事例を選ぶことが重要でした。

そこで普段クライアントさんに紹介している100を超える事例の中から、企画段階で25エピソードに絞り込み。そこから更にページ数や構成、分かりやすさを考慮。

そしてシンプルで真似しやすい、選りすぐりの15の事例ができあがりました。積極的に取り入れてみてください。ここまでの内容を実践していただければ、さらに上のステージへとレベルアップできると確信しています。

しかし同時に、ビジネスはチーム戦。仲間と力を合わせて問題解決に臨んだほうが、よりスムーズにレベルアップを図ることができます。

僕自身もマーケティングのコミュニティを主宰しています。色々な業種や立場の違う人が集まって、個人が抱える悩みをチームで解決したり、一緒にビジネスをしたりと、相乗効果がたくさん生まれる環境になっています。

あとがき

もし「書籍の方法に興味があるけど、自分一人で実践するより、直接アドバイスをもらいながら取り入れたい」そんな風に感じられたのなら、下記URLにコミュニティへの案内を記載していますので、遊びに来てみてください。読者特典として初回は無料で参加いただけますのでぜひご活用ください。

中谷佳正

読者特典

https://www.winks.jp/subtraction-marketing/marketing-lounge/

謝辞

　この書籍を皆様のお手元に届くように引き上げていただいた、編集者の村瀬光さん、そして技術評論社のスタッフの皆様に感謝しております。皆さんのプロフェッショナリズムと協力のおかげで、無事に出版することができました。本当にありがとうございました。

　そして、この書籍を作成するにあたり、出版の先輩でもありビジネスパートナーでもある、株式会社ever ride 代表の中尾隼人さんには、最大のご尽力をいただいたこと、またスタッフの方々にも多大なエネルギーを注いでいただいたことに感謝いたします。

　最後にこの本を手にとってくれた皆様、最後まで拝読いただきましたことに心より感謝申し上げます。この本が、あなたのマーケティング戦略やビジネスに新しいアイデアを提供し、成果を生む手助けとなること、そしてあなたを成功へと導いてくれることを期待しています。

著書 プロフィール

中谷 佳正（なかたに　よしまさ）

Webマーケティング・ビジネス戦略コンサルタント
有限会社WINKS 代表取締役
株式会社メディア・クリエイティブジャパン　代表取締役
一般社団法人日本インターネット広告協会　代表理事

1977年生まれ。大阪府河内長野市出身。ITベンチャー起業を経て、Web制作系IT起業の立ち上げに参画。従業員20数名になるまで営業を1人で担当する。その後、28歳で現在のWINKSを立ち上げる。

創業からこれまで15年間で個人事業主から一部上場企業まで840社以上のWeb制作・コンサルティングを提供し、セミナー参加者は5,000名以上にのぼる。

他にも、日本No.1ダイレクトマーケティング会社であるダイレクト出版のビジネスパートナーとしてWebマーケティングに関するブログを執筆。またYahoo!やGoole、マイクロソフトにコンサルティングを依頼されるマーケティングの権威、リッチ・シェフレン氏の日本公式ナビゲーターを務めている。

主な監訳著書に、全世界で100万人以上の起業家が読んだビジネス構築のバイブル「インターネットビジネスマニフェスト　完全版　リッチ・シェフレン」がある。

■ お問い合わせについて

ご質問については、本書に記載されている内容に関するもののみ受付をいたします。本書の内容と関係のないご質問につきましては一切お答えできませんので、あらかじめご承知おきください。また、電話でのご質問は受け付けておりませんので、ファックスか封書などの書面かWebにて、下記までお送りください。
なおご質問の際には、書名と該当ページ、返信先を明記してくださいますよう、お願いいたします。特に電子メールのアドレスが間違っていますと回答をお送りすることができなくなりますので、十分にお気をつけください。
お送りいただいたご質問には、できる限り迅速にお答えできるよう努力いたしておりますが、場合によってはお答えするまでに時間がかかることがあります。また、回答の期日をご指定なさっても、ご希望にお応えできるとは限りません。あらかじめご了承くださいますよう、お願いいたします。

■ 問い合わせ先

＜ファックスの場合＞
03-3513-6181

＜封書の場合＞
〒162-0846
東京都新宿区市谷左内町21-13
株式会社 技術評論社　書籍編集部
『即効！　引き算マーケティング』係

＜Webの場合＞
https://gihyo.jp/site/inquiry/book

カバーデザイン	萩原弦一郎（256）
本文デザイン	ヨネザワ
イラスト	笛紗矢香
構成・DTP	佐藤加世子
編集	村瀬光

即効！　引き算マーケティング
〜仕事を減らして10倍儲かる

2024年4月26日　初版　第1刷発行

著者	中谷佳正
発行者	片岡巌
発行所	株式会社技術評論社
	電話 03-3513-6150（販売促進部）
	03-3513-6185（書籍編集部）
印刷／製本	港北メディアサービス株式会社

定価はカバーに表示してあります。
本書の一部または全部を著作権法の定める範囲を超え、無断で複写、複製、転載、あるいはファイルに落とすことを禁じます。
©2024　有限会社WINKS
造本には細心の注意を払っておりますが、万一乱丁（ページの乱れ）や落丁（ページの抜け）がございましたら、小社販売促進部までお送りください。送料小社負担にてお取り替えいたします。

ISBN 978-4-297-14073-1 C0036
Printed in Japan